新潮文庫

うそうそ

畠中恵著

新潮社版

8573

うそうそ

うそうそ

たずねまわるさま。きょろきょろ。うろうろ。

「江戸語辞典」（東京堂出版）より

ある日、若だんなは見舞いを受けた。

日頃、寝付いてばかりの若だんなだ。だから慰めようと、寝間《ねま》に来て下さるお人は多い。だがその御仁《ごじん》は、今までお会いしたことのない、少々変わったお方であった。

曰《いわ》く、土地神であられるという。

山神と言われるのだという。

日《ひ》の本《もと》には、八百万《やおよろず》ほども神々がおられるそうだから、もしかしたら、そう珍かなお立場では無いのやもしれない。しかし、若だんなはこれまで、『神』と名のられる方と、向き合って話をしたことは無かった。

皮衣《かわごろも》殿より、また孫君が寝込まれたとお聞きしてな。

山神はそうおっしゃり、小さな金平糖のような菓子を、慰めにと下さった。ではと茶を出し、暖かい縁側に二人で座った。

一見、父の藤兵衛《とうべえ》よりも、ぐっと若く思える。うっかり目を覗《のぞ》き込んだら、その底に落ちて、二度と縁側には戻ってこられぬとも感じた。若だんなはどこを見て話したら良いのやら、いささか困ってしまった。

山神が小さく笑っている。

だが、この世に神がおられるのならば、是非に聞いてみたいことがある。若だんなは意を決し、目を合わせると問うてみた。

まず一つ。

「私はずっと、ひ弱なままなのでしょうか」

もう一つ。

「他に何もいらぬほどの思いに、出会えますでしょうか」

山神がにこりとした。

神なるお方の側《そば》にも、明日を、己《おのれ》を見つけたいと、迷っている御仁がおられるのだそうな。

千年ほど迷い、うそうそ己を捜し続けている。そう言われた。

「千年！」

驚いた。若だんななど迷っている内に、あの世に行くことになるやもしれない。明日のことは、分からぬ方が面白かろうに。

山神がまた笑っておっしゃる。

そうかもしれない。でも知りたいこの気持ちは、どうしようか……。

若だんなは縁側で、頂いた小さなお菓子を一つ、口に入れた。菓子は、浅い春に吹いた春一番で出来ているのだと、山神は教えて下さった。

口の中を、万の花びらが飛んで行く。

淡い花の色に包まれた気がした。

一　江戸通町

1

「痛っ……」

闇《やみ》の中に、小さな声がした。

夜の漆黒が全《すべ》てを包んでいる刻限であった。江戸一番の繁華な道、通町《とおりちょう》にある廻船《かいせん》問屋兼薬種《やくしゅ》問屋、長崎屋の離れも黒一面の中にある。

その中で若だんな一太《いちた》郎《ろう》は、おでこを何かにぶつけ、痛さに頭を抱えていた。突然大きく揺さぶられ、驚いて飛び起きたら転んでしまったのだ。

（地震？）

そうに違いない。かなり大きい。暗い中では立ちあがることも出来ないほどだ。部屋の内がどうなっているかも分からない。寝るとき、有明行灯《ありあけあんどん》の明かりは落としてあった。

とにかく揺れが収まるのを待つしかない。若だんなは布団《ふとん》の上でしばし丸くなっていて……その内ふっと首を傾《かし》げた。

(あれ、妙だね)

こんな揺れにも拘《かか》わらず、仁吉《にきち》と佐助《さすけ》、二人の兄《にい》やが部屋に来ないのだ。足音すらしない。

(いつもなら地震だろうが火事だろうが、揺れも火も、ものともせず、真っ先に飛んでくるのに)

こと若だんなの事となると、二人の兄や達は極太の筋金の入った心配性であった。なのに助けに来ない。おかしいではないか。

(これは本物の地震? それとももしかしたら私は、剣呑《けんのん》な夢を見ているのかしら)

そういえば、揺れが長すぎる気もする。若だんなは何となく、不可思議な心持ちがしてきていた。

(何か変だね。妙だ。どうして?……)

その時であった。闇の向こうから湧《わ》き出すように、密《ひそ》やかな声が聞こえてきたのだ。

『邪魔だよ……若だんなが……』

突然呼ばれ、真っ暗闇の中であるにも拘わらず、若だんなは目を見張った。

『あいつがいるのがいけない……長崎屋の若だんなは、居ちゃあいけないんだよ。殺してしまおうか。うん、それがいい……きっと、あいつを殺してしまおう……』

(こ、殺す？　私を？)

心《しん》の臓《ぞう》がどきりと大きく打った。夜着《よぎ》の下で、冷や汗が出る。しかし怪しげな声は、じきに夜に溶けるようにして消えて行った。

(今のは……何だったんだろう)

声に殺気があった。本当に誰かが若だんなを、殺したいと言っていると感じた。余りに生々しく、夢には思えない。

(どういうことだい？)

声も出ないでいる内に、また囁《ささや》きが聞こえてきた。

『一太郎が心配だ。死んでしまうかも。このままでは、じきに……死んでしまうよ』

先とは違う声だ。ふと、この声は知っている気がした。

(でも誰だかはっきりしない)

迷う心に重なるように、今度は遠くから泣き声が聞こえてきた。悲しそうな声だ。どうして泣いているのだろう。誰だろうか。

(こちらは……知らない声だ)

でもこの声には、引きつけられるものがあった。若だんなは、泣いている者を慰めたくなってきたのだ。

(知らない人なのに、どうしてかしら)

しかし直《じき》にその泣き声も途切れだし、静かになっていく。最後に一寸《ちょっと》、遠くで微《かす》かにけーんと、獣の鳴き声が聞こえた。これは知っている。馴染《なじ》みのものだった。

(狐《きつね》の声だよ)

その後は、しばし静かなままであった。

(これで夜の声は終わったのかな)

だがここで、また別の声が聞こえてくる。

『欲しい……どうしても要《い》るんだ……。手に入れなくてはならない。あの者が……持っている。長崎屋の若だんなが……』

若だんなは夜着を胸元に引き寄せた。

(私は殺されるのかい？　居ちゃあいけないということは、長崎屋を離れなきゃあならないのかな？　おまけにあの泣き声。不可思議な声だよ。地震もあったし、何となくおちつかない気がしてくるね)

気がつけば、既に揺れはおさまっていた。とにかく無事であったのだ。だが今に至っても実際何が起こったのか、よく分からない。己が起きているのか、夢見ているのか、声を聞いたのか、ただの幻だったのか、若だんなには判断が付かぬままだった。

(また声が聞こえるかな)

暫《しばら》くは身構えて待っていた。だが、あの密やかな声はもう聞こえてこず、今度こそ途切れたままだ。

黒一面の闇は、その後ひたすらに静かであった。

長崎屋は江戸は通町に、廻船問屋と薬種問屋、二軒を構えている大店《おおだな》だ。他にも蔵や船、土地を持っていて、それは裕福だとの噂《うわさ》であった。

若だんなはその主人夫婦の一粒種で、両の親は天井につく程積み上げた、南蛮菓子のかるめいらよりも甘い。お江戸の端で風が吹けば、風邪を貰《もら》って寝付く程に、跡取り息子である若だんなの体が弱かったからだ。

親は若だんなの為《ため》に、蔵から溢《あふ》れるほどの薬を、廻船問屋の船で日《ひ》の本《もと》のあちこちから集めた。その上数多《あまた》の珍らかな品を、気晴らしにと、寝起きしている離れに持ち込んでくる。

しかしひ弱な若だんなが飲み込める薬の量は限られているし、熱を出して唸《うな》っていれば、高価な品だろうが珍品だろうが、それで遊ぶことも出来なかった。

要するに幼い頃より、日々よい子の病人でいるしかなかったのだ。おかげで若だんなは忍耐強い若者に育っている。

だが我慢強くしていると可哀相《かわいそう》だといって、親も、育ての親である二人の兄やも、益々《ますます》甘やかしてくる。困ったもんだと若だんなは思っていた。

「あれ……?」

朝、目を覚ますと、その甘い兄や達が若だんなの寝間《ねま》にいて、こちらを覗《のぞ》き込んでいた。

「どうしたの、いつもより早いじゃないか」

布団から体を起こして聞けば、やはり夜の内に地震があったという。

「大きいものではありませんでしたが」

二人は昨夜、直《す》ぐに若だんなの様子を見に来たが、若だんなが静かに寝ていたので声をかけなかったそうだ。だがやはり心配で、今朝は早々に寝間にやって来たというわけだ。

(ああ、真っ暗な中で揺れていると思ったのは、本当だったんだ)

だが、その後聞いたと思った声は、幻だったらしい。もしあんな声を聞いていたら、兄や二人は大騒ぎをしていたはずだ。

(夢とうつつが混じり合っていたのかな)

揺れで不安になって、幻の声を聞いたのかも知れない。

(でも変な夢だったなあ。誰かが私を殺そうと言ってた。どうしてだろう。しょっちゅう死に損なっている私を、ちゃんと殺したいなんて、まめというか……)

若だんなは布団の上でぼうっと、気味の悪い声のことを考えていた。すると仁吉が、若だんなの額に手を当ててくる。

「調子が悪そうですね。今日は寝ていた方がいいんじゃないですか」

どうやらほんの少し熱があるらしい。若だんなは用があるからと、慌《あわ》てて寝床から出た。

「これしき、病の内には入らないよ」

このままでは体が萎《な》えてしまうと、若だんなは言い出した。兄や達は若だんなに甘すぎるのだ。若だんな当人が言うのだから、間違いない。

「大体、たくさん高い物を買い与え過ぎだよ。贅沢《ぜいたく》好みになるよ」

「おや、先に買った虫籠《むしかご》は気に入らなかったのですか? 別の品を直ぐに手に入れますよ」

「私を好き放題に遊ばせておいちゃ、いけないと言ってるんだよ。体にさぼり癖がつくし」

「おお、ならば今日は、寝ていて下さい。それが一番のお役目ですよ」

「何で、もうちっと働けとか、厳しく言わないんだい？」

どうにも嚙《か》み合わない話が続く中、若だんなは力説する。そろそろ一人前の大人になるために、変わっていく努力が必要なのではないか。一生懸命に口にしたその言葉を聞き、兄や達がふっと笑った。

「ああ若だんな、離れで大人しく寝ているのに、飽きたんですね。そうだ、今度はギヤマンの金魚鉢でも買いますか？」

佐助の言葉に若だんなは黙った。何かが……ずれている。仁吉が優しく言う。

「とにかく無理はいけません。この前みたいに、薬種問屋の店先で店番なんてしないで下さいね。目に埃《ほこり》が入ったらどうするんです」

「店でただ座っていることすら心配されたら、何の仕事も出来ないじゃないか」

若だんなは最近、己がちょいと強くなったと思っているのだ。だがどう言っても、兄や達はただ笑っているだけだ。若だんなは長崎屋の跡取り息子だから、一応兄や達の主筋にあたる。だが当の二人は、そんなことなどお構いなしであった。

何故《なぜ》ならこの二人の感覚は、並の者達とはいささか違っているからだ。実は……手代《てだい》達には共に、人では無い名があった。仁吉は本性を白沢《はくたく》と言う。佐助は犬神《いぬがみ》と呼ばれる身だ。

妖《あやかし》、と言われている存在であった。

それぞれに若だんなの祖母、おぎんと縁があって、若だんなの守《も》りとして長崎屋にやって来ていた。祖母にもまた、別の名があったからだ。

おぎんは皮衣《かわごろも》と言い、大妖《たいよう》であった。今は人の世を離れ、神なる荼枳尼天《だきにてん》様にお仕えしている。

だが若だんなは大妖の孫とはいえ、ただの人であった。血を引いていても、とんと力は伝わっていない。並外れて虚弱な所を考えると、並の人よりも大分劣るともいえた。それで周りが、朝と昼と晩に心配する事となる。

ただ血が知らせるのか、若だんなは妖が身近にいればそうと分かった。おかげで多くの妖達と顔見知りなのだ。鳴家《やなり》に屛風《びょうぶ》のぞき、鈴彦《すずひこ》姫に獺《かわうそ》に野寺坊《のでらぼう》など、長崎屋には手代達の他にも、数多の妖が顔を出し、勝手に置いてあるお八《や》つを食べている。

妖達は病弱な若だんなの良き友であり、仲間だった。時々若だんなを踏んづけたり、喧嘩《けんか》に巻き込んだりするが……まあ人ではないのだから仕方がない。

「何と言おうと起きるよ。私だってその内ちゃんと、一人前の大人になるんだから！」

若だんなはそう宣言し、布団から抜け出て立ち上がる。今朝は朝顔の手入れをしたかったのだ。若だんなは今父の藤兵衛と、朝顔を作ることに凝っていた。

そのとき。ふと、どこからか泣き声が聞こえてきた。

（あれ、この声、昨夜聞いたような……）

そう思った途端！　ふにゃり、と足元が不確かになる。

「えっ？」

仁吉が風のような動きで飛びついて、転びかけた若だんなを支えた。家のあちこちが、みしみしと鳴りだす。家を軋《きし》ませ騒ぐ妖、鳴家達が一斉に鳴き始めたのだ。買ったばかりの虫籠や置物が、がたがたと音を立て始める。

「地震だ、大きい！」

佐助がそう言った途端、どんと大きな揺れが襲ってきた。めきり、と、柱が折れるかと思う程に大きく音を立てた。

「うわっ」

部屋の隅でものが倒れる音がした。悲鳴のような声を真っ先に上げたのは、屏風の妖、屏風のぞきだ。

「あれ、大丈夫かい？」

「若だんな、布団の上にしゃがんで下さい。立ってると危ないです」

だが座ることすら、仁吉に手を貸してもらわねば難しかった。揺らぐ。地の底から湧き上がるような低い音がする。鳴家達の軋み声は、益々大きく激しくなっていく。

「ぎゅわ、ぎゅわ、ぎゅわ、ぎゅわ」

「ぎゃっ、ぎゃっ、ぎゃっ、ぎゃっ」

「ぎい、ぎい、ぎい、ぎいっ」

(随分と長い地震だね)

その内、今度は部屋にあった衣桁《いこう》が倒れた。「ぴぎゃっ」そこに乗っていた鳴家達が吹っ飛ぶ。何匹かが横にあった簞笥《たんす》の上に落ちた。

「きょーっ」

鳴家は悲鳴と共に転がって、若だんなが集めた本を蹴飛《けと》ばす。本は長崎より運ばれた、大きな漆塗《うるし》りの丸い虫籠に倒れかかった。籠には本物の虫の代わりに、ギヤマンの塊《かたまり》で作った、秋の庭の虫や花や池などが入っている。綺麗《きれい》ではあったが……かなり重い。

それが転がりだしたとき、鳴家達は手を伸ばし「ぴぎーっ！」と鳴いた。しかし小さな鳴家では重い籠の暴走を止められない。虫籠は傾き簞笥から落ちる。跳ねる。更に隣の小簞笥の角で跳ねて向きを変えた。

「ひっ」

それは揺れで布団の上から動けなかった若だんなの頭を、直撃したのだった。

2

また、あの泣き声が聞こえていた。

それは静かな、諦《あきら》めきったような声であった。だが暫く聞いていると、時々思いもかけぬほどの激しさも内に含んでいた。

途切れる……しかしまた聞こえてくる。

(女の子の声だ)

山を渡る風のような、深い響きがあった。

(何だか悲しそうだね)

どうしてこんな風《ふう》に泣いているんだろうか。それに何故また昨夜と同じ夢を見て、この声を聞くのだろうか。

（これ、夢だよねえ？）

そう思った途端、ゆさりと体が揺れた。眉《まゆ》を顰《ひそ》める。

（以前泣き声を耳にしたとき……その時も確か、足の下が揺れていたよね）

そして今回も、揺れと共に泣き声を聞いている。いつも二つは一緒に訪れて来るのだ。

（ひょっとして、この声と地震は関係あるんだろうか）

地震と泣き声。泣き声と女の子。女の子と地震……。繋《つな》がっているものならば、考えてみなければならない。もし女の子が泣くたびに地震があるというなら、剣呑《けんのん》な話だ。その度に籠が頭の上に降ってきたのでは、命がいくつあっても足らない。

（この子が泣くのを、止めに行かなくては……。でも……私が？）

半病人の若だんなには無理な話に思える。しかし、どうしてそんな風に考えついたのだろうか。

（気になる泣き声だからかな……）

声は小さくなり、その内聞こえなくなっていった。するとそこに、別の声が聞こえてくる。

「ぎゅんいー、きゅんいー」

こちらも哀れな声ではある。だがこれは……もっと聞き慣れた声だ。若だんながよく知っている鳴き声。どうしたのだろう。どうしてこんなにおろおろと、鳴いているのだろう。

声の方に顔を向けてみると、闇《やみ》の中、何故だかそちらだけが明るい。若だんなは目を開け……鳴き声の主を呼んだ。

「鳴家、どうしたの……」

途端に上から声が降ってくる。

「ああ、目を覚ました。旦那《だんな》様、おかみさん、若だんなが気がつかれましたよ」

すぐにばたばたと足音が近づいてきた。

「一太郎、大丈夫かい。そりゃあ心配したんだよ」

「おっかさんだよ。分かる？」

藤兵衛もおたえも目に涙を浮かべて、若だんなを見つめてくる。驚いて起きあがろうとしたら、ずきりと頭が痛む。仁吉が慌てて若だんなを寝床の中に戻した。

「先の地震で、頭の上に籠が落ちてきたんですよ」

それで頭を切ったらしい。若だんなは病には慣れているが、外出の少ない分、今までほとんど傷を負ったことがない。それが頭から血を流し、半日近く目を覚まさずにいたのだから、おたえが酷《ひど》く心配していたという。大妖である祖母にゆかりがあるからと、庭に建つお稲荷《いなり》様に、何度も若だんなの快癒《かいゆ》を祈ってくれていたのだ。

「心配かけちゃったみたいだね」

そう頭の晒《さら》しに手をやってみると、さほどの怪我《けが》とも思えない。怪我をしたのが友の栄吉《えいきち》だったら、寝込みはしなかったに違いない。佐助が、虫籠に重いギヤマンが入っていたのが拙《まず》かったと、ぶつぶつ言っている。

「みんな無事だった？」

そう聞くと両親は笑顔で頷《うなず》いた。近所で潰《つぶ》れた家や店は無かったし、小火《ぼや》を出した家が何軒かあったが、早くに消し止められたという。

「良かった」

そうは言ったものの、若だんなは顔をしかめる。これでまたまた、また、寝てばかりの毎日となるのだろう。

(やれやれ、これじゃあ変化朝顔の、最後の花を見ることが出来ないや)

楽しみにしていることがあるときに限って、予定が狂って駄目になる。若だんなは小さく溜息《ためいき》をついた。

長崎屋で咲く変化朝顔は、実はとびきりの一鉢であった。何故なら若だんなが楽しみにしていると分かると、妖達があちこちから、変わった朝顔の種を持ってきてくれたからだ。

中でも極め付きは、見越《みこし》の入道が荼枳尼天様の庭先から頂いてきたという、一粒の種から咲いた花であった。

この夏二回花を咲かせたその朝顔に、藤兵衛は大青林風南天縮緬《ちりめん》葉台咲孔雀《くじゃく》八重と、長い長い名を付けた。その花は、花糸《かし》が弁化している八重咲きで、花も葉も縮れくるりと巻いている。その上透き通るギヤマンのような二色の青が美しい。朝顔の花合《はなあわせ》の会で、最高位の大関に選ばれた程であった。

(見たかったなあ)

少々がっくりとしたが、急に丈夫になるはずもなく、仕方がない。ところが今回はここで、いつもは黙っているおたえが、びっくりするようなことを言い出した。

「ねえお前さん、このままじゃあまた一太郎は寝たり起きたりですよ。だからいっそねえ、湯治《とうじ》に行かせたらと思いついたんですが」

「湯治!」

これには藤兵衛だけでなく、部屋にいた皆が驚きの声を上げる。若だんなも寝たまま、目を丸くした。

「おたえや、湯治となると、怪我をしている一太郎を遠出させなくてはならないよ」

藤兵衛が不安げな声を出す。おたえは言いつのった。

「怪我は程なく治るだろうと、先程源信《げんしん》先生がおっしゃってましたよ」

このところ江戸では地震が多い。その為《ため》に若だんなは怪我までした。おたえは若だんなを、ここで寝かせておくのが不安になったのだ。ではどうすればよいか、庭の稲荷神様に伺いを立てたのだという。

「そのとき、稲荷神様が示して下さったのですわ。湯治にやったらいいと」

ゆっくり湯に浸《つ》かって養生したら、一太郎はぐっと丈夫になれるかもしれないと、御神託《ごしんたく》があったという。このお告げでおたえが、その気になった。

「一太郎が丈夫に？」

「おっかさん、それ、本当ですか？」

父子の声が揃《そろ》った。藤兵衛の顔が明るい。湯治に賛成となったのだ。若だんなは、がばりと床から起きあがる。

「私が人並みの体に、なれるかもしれないんですか」

そんな夢のようなことがあるのだろうか。湯治とは余程効くものらしい。

（凄《すご》いや、御神託って……お婆様《ばあ》がお仕えなさっている神が、示して下さったのかな）

おたえが湯治に驚くほど乗り気だということは、そうなのかもしれない。心の臓が早く打っている。

「行きたい……ねえ、おとっつぁん、丈夫になりたい。湯治に行かせてもらえませんか」

藤兵衛は口を開きかけ……苦笑を浮かべてしまう。

「私はいいと思うんだが。ただ……ね」

親が承知でも、それだけで一太郎を旅に出すのは無理なのだ。行くとなれば、大事の跡取りを守ってくれる供が必要だ。布団《ふとん》の横で兄やである仁吉が、うますぎる話は信じられぬと言う顔つきをしていた。

「旦那様、若だんなはお江戸を出たことすらございません。湯治となると、箱根《はこね》か草津《くさつ》か……どこに行くにしても、そりゃあ遠くて」

「湯治場に着く前に、若だんなが病になってしまいますよ」

若だんなの薬を手にしている佐助も、いい顔をしていない。

「湯治は良いものでしょうが、そこまで効くとは、どうにも思えませんで」

二人の兄やが一緒についてゆくと言わなくては、若だんなは旅に出られない。若だんなは必死に頼み込んだ。

「ねえ、一緒に行っておくれな。こうも毎日寝てばかりなんて、私はもう嫌なんだよ」

旅に出るとなれば、それは金子《きんす》が要りようなことを若だんなも心得ていた。その為に講という組合を作り、金子を融通し合う人達もいるほどだ。だが長崎屋であれば、とりあえず金子は用意出来る筈《はず》だ。

「丈夫になったらせっせと働いて、旅で使った掛かりを取り戻すから」

「えっ？　いや若だんな、そういう問題では……」

若だんなは、ねばった。兄や達みたいに、栄吉のように、松之《まつの》助《すけ》と同じく、ちゃんと毎日布団から起きあがりたい。出来れば日々飲んでいる薬を、半分くらいには減らしたい。医者の源信に、毎日長崎屋へ寄らなくともいいと言ってみたい。

「だから、お願いだよ」

「若だんな……余程、丈夫になりたいとお思いなんですね。そんなに一生懸命おっしゃって。何と言ったらいいのか……」

兄や達が、目頭を押さえている。すると、ここでおたえが案を出してきた。

「箱根なら、どうにかなるんじゃないかい。一太郎は店の横から舟に乗せて、常磐丸《ときわ》に移すのよ。小田原《おだわら》までは海路で、後は箱根まで駕籠《かご》に乗れば、そう遠くはないでしょう」

「箱根？　ねえ仁吉、どうかな。佐助、いいよね？」

必死に頼む若だんなに、ついに二人が笑みを向ける。

「分かりました。若だんなは養生に行くのが良いようです。その折りはあたしらもぜひに、ついていかせて下さい」

揃って主人夫妻に頭を下げる。そんな兄や達を見て、若だんなが顔を赤くし立ち上がった。

「凄いや、私は本当に旅に出るんだね！」

心底嬉《うれ》しい。生まれて初めてお江戸から出て行くのだ。

「温泉って、どんな心地がするものなのだろう。頭の傷なんか、直《す》ぐに消えて無くなるよね」

笑いが顔に張り付いたみたいだ。そんな若だんなに、両の親は笑顔を向けてくる。

（お婆様が、一度は旅に出られるようにしてくださったのかな）

そうかもしれぬと、庭の祠《ほこら》を何度も拝みたくなってくる。

「きっと、驚くほど丈夫になって帰ってこられるよ」

そのとき。再び小さな地震があった。すぐに収まったので皆騒ぐでも無かったのだが……若だんなが落ち着くには役に立った。

「やれ、気を鎮《しず》めなくては。ここで調子が悪くなったら、旅に出られないから」

いそいそと己から布団の中に入る。そしてふと若だんなは、部屋の内に目を戻した。静かになったら、微《かす》かな声が耳に入った気がしたのだ。

また誰ぞが泣いているようであった。

3

鳴家達が離れで大騒ぎを起こしていた。

若だんなが箱根へ湯治に向かうと知ったからだ。鳴家達は皆、若だんなの袖《そで》に入って旅に出たいのだ。温泉にも浸かってみたい。温泉場というのは、焚《た》きもしないのに湯が湧《わ》き出てくる、神の息吹《いぶき》も濃き場所だと、てんでに話している。

しかし数多《あまた》いるから、鳴家全員が若だんなの袖の中に入ることは出来ない。よって誰がついてゆくかで揉《も》め、喧嘩《けんか》がおこった。お互いをくすぐって、笑いころげた方が負けだ。鬼ごっこ勝負もする。ぱたぱた、ころころ、どんっ。沢山の鳴家が離れの中を転がる。拳《けん》勝負をすると、鳴家は紙と石ばかり出すものだから、紙の者が勝っている。そんな中、他の妖《あやかし》たちも温泉場へ行きたいと、それぞれの主張を始めた。

　まず鈴彦姫が、鈴の本体をこっそり離れに運び込んでは、仁吉に放り出されていた。獺と野寺坊は、何故《なぜ》だか旅支度をした姿で長崎屋の庭先に現れ、しきりとお供できることを示している。

　屏風のぞきはふくれっ面《つら》だ。温泉に入ることはできずとも、共に旅には行きたいのだ。しかし、近場ならば己の本体である屏風から離れることも出来ようが、箱根までは無理な話であった。大きな屏風は、旅の荷物には加えて貰《もら》えない。どう考えても、湯治にはついてゆけない。よって面白くない顔つきで黙り込み、ここ暫《しばら》く屏風から出てこなくなっていた。

　旅の話は近所にまで広まった様子で、あちこちから長崎屋に餞別《せんべつ》が届きだす。日限《ひぎり》の親分など、何度も離れに顔を見せてきた。もっともこちらは始終手元不如意《ふにょい》につき、兄やが毎回幾らか、袂《たもと》に金子を入れることになった。

　他にも要りようなものを買いに出たり、買った物が届いたり、旅に出るとなると離れに出入りする者が多くなる。

「やれ、騒がしいことだ」

仁吉が一つ息をついて、離れの居間に集めた荷物へ手を突っ込み、ふかりとした毛皮の塊を摑《つか》んで庭に放り出した。猫又《ねこまた》のおしろがちゃっかり入っていたのだ。

「それじゃ若だんな、旅の荷物のこと、説明します。一応どういうものを持参するか、見ておいて下さいね」

勿論《もちろん》緊急用のお金と薬以外、若だんなに持たせるものはないという。だが何を持っているか分かっていないと、使うときに困る。畳の上に広げられたいつもと違う品々を、若だんなが興味津々《しんしん》の顔つきで見入った。

「面白いや。旅用の荷って、いつも使っている品を手妻《てづま》で小さくしたような物が多いんだねえ」

鋏《はさみ》や懐中鏡《かいちゅうかがみ》、算盤《そろばん》や蠟燭《ろうそく》立てまでが思い切り小さい。折りたたみ式の旅枕《たびまくら》や旅の日記帳、お金を中に隠せるようになっている道中差《どうちゅうざ》しなど、日頃は見ない品もあった。

身分を証明する往来手形《てがた》。筆と墨壺《すみつぼ》が組み合わさった矢立《やたて》、財布、扇子、糸、針、櫛《くし》、鬢《びん》付け油、蠟燭、火打ち道具も揃っている。

「仁吉、これは何？」

「印板《いんばん》ですよ。印を押した紙です。印そのものは家に残しておきます。送金して貰うとき、印が同じか比べて証明として使うんですよ」

あとは印籠《いんろう》、鼻紙、麻縄《あさなわ》、鉤《かぎ》、油紙。若だんなの荷だから薬は多く、飲み薬、傷薬、湿布《しっぷ》と揃っている。手ぬぐい、小田原提灯《ぢょうちん》、合羽《かっぱ》、干菓子《ひがし》を入れた茶筒もある。着替えの横に、色々放り込める便利な品だという革袋《かわぶくろ》があった。

そのまた隣には、当日着て出る草鞋《わらじ》や菅笠《すげがさ》、手甲《てっこう》、股引《ももひき》や脚絆《きゃはん》が置いてある。脇《わき》に紙で二十五両ずつくるんだ一分銀の切り餅《もち》が、幾つもころがっている。紙に包まれていない、一分金や一朱銀などもあった。

若だんなが、ちょいと首を傾《かし》げた。

「あのさ、旅の荷は肩にかける、振り分け荷物にまとめるんだろう？　確かに小さな品ばかりだけど……これみんな旅行李《たびごうり》に入るのかな？　それに何だか着る物が、妙に多くないかい？」

若だんなのものとおぼしき着物が、小ぶりな品々の横で、小山を作っていた。

「これは仕方がありませんよ。箱根は山の側《そば》ですからね。朝夕はお江戸より寒いでしょう。着替えはたんと必要ですよ」

「だって、こんなに持ったんじゃあ、身軽に歩けないだろう？」

「大丈夫です。小田原までは船で行きますし、後は荷物持ちを雇いますから」

仁吉や佐助自身が持つと言わないのは、いざというとき大荷物を持っていては、若だんなを守り切れないからだと言う。こういうとき支払う金子のことを気にしないのは、人と違う感覚であった。

（うーん、この旅じゃ、金銭のことは私がしっかりと見てなくちゃ）

若だんなはそう決意していた。もっとも若だんなが金の話をすると、友の栄吉は時々苦笑する。だからちょいとばかり、不安ではあったが。

その時、離れの庭先から声がかかった。

「あの、仁吉さんの所へ行って、私の分の荷を確認してもらってこいと、番頭さんに言われまして」

見れば、兄、松之助が旅行李を手にして立っていた。松之助は養子である父藤兵衛の庶子で、若だんなとは半分だけ血が繋《つな》がっている。縁あって長崎屋に来て、今は手代として勤めていた。

松之助と若だんなは、それは仲が良い。しかも余所《よそ》で勤めた経験があるせいか、松之助には常識があり、弟をひたすら甘やかすこともしない。しっかりしているということで、おたえが旅のお供に加えたのだ。

かつて松之助を、長崎屋の息子とは認めなかったおたえだ。だが松之助が手代として長崎屋で働きだしても、特に厭《いと》いはしなかった。若だんなが嬉しそうに「兄さん」と呼んでも、気にする風もない。

(やっぱりおっかさんは、少々……変わってるのかな?)

妖の血が濃い故《ゆえ》に。そう思わないでもない若だんなだ。

「嬉しいな。仁吉と佐助、それに兄さんと一緒に旅が出来るなんて、思ってもみなかった」

ふと兄の荷物を見ると、驚くほど綺麗《きれい》にまとめられていて量が少なかった。その荷が仔猫《こねこ》ほどの大きさだとすると、若だんなの荷は化け猫程にも大きい。だが佐助はそんなことなど気にもせず、万一の時のために持っていてくれと、松之助の旅行李の隅に、小袋に入れた一分銀の切り餅を押し込んでいる。

若だんなの道中差しにも、重いが辛抱ですよと言って、沢山の一分金を入れた。これは刀では無く、金子を持ち歩ける仕組みになっている旅用の代物《しろもの》だ。

「旅の途中、万が一あたしたちとはぐれたとき、文無しでは動きが取れなくなりますからね。この金子と薬の入った印籠だけは、旅の間いつも持っていて下さいね」

「迷子にはならないよ。真っ直ぐ宿へ行って、そこに滞在してるだけじゃないか」

「天狗《てんぐ》に団扇《うちわ》で飛ばされるかもしれません。河童《かっぱ》に川に流されるかもしれません」

「……分かったよ」

心配性の兄や達の為に、大人しく道中差しを受け取る。さすがにずしりと重かった。獅子《しし》の絵柄の古い印籠には、既にぎっしりと様々な薬が入れられていた。蒔絵《まきえ》の獅子は時々後ろ足で耳を掻《か》いている。そろそろ付喪神《つくもがみ》に成り掛かっているようであった。

「若だんな、湯治の間は早寝早起きを心がけ、薬はちゃんと飲むんですよ」

「食事はたんと食べなくてはいけません。空腹で温泉に入ると、湯当たりしますからね」

兄や達が色々注意すべき事を言ってくる。それが日頃とは違う日々が近づいてきていることを、若だんなに感じさせた。部屋で、青い桐油紙の坊主《ぼうず》合羽をみつけ、旅気分で羽織《はお》ってみる。兄やたちがそれを見て、笑っている。

じきに松之助が店の方へ帰った。すると鳴家達がまた湧いて出てきて騒ぎ出す。どこから手に入れたのか、一匹が旅人の被《かぶ》るような、小さな菅笠を手にしていた。それを取り合って、何匹かが団子のように固まり、部屋の隅に転がっていった。

出立《しゅったつ》の朝となった。

生まれて初めての旅姿で、両親や店の者達の見送りを受けながら、若だんな達四人は、京橋近くから舟に乗った。

若だんなの右の袖には二匹、左には一匹、勝ち残った鳴家が入っている。家の直ぐ側から舟で出る楽な旅立ちだというのに、近所の人達も、見送りに来てくれていた。

胸躍らせ、楽しく旅路についたと言いたいところであったが……若だんなの機嫌は悪い。風が吹いているからと、佐助が離れで若だんなを掻《か》い巻《ま》きにくるみ込み、そのまま舟に運んでしまったのだ。

「格好悪いよ」

頼むから人前で、赤子扱いするのは止めてくれと言ったのだが、全く聞いて貰えなかった。

(いつものこととはいえ、なんだか佐助の様子が落ち着かないね)

仕方なく仁吉に止めて貰おうと姿を捜す。だが、朝の離れに仁吉は居なかった。直ぐに店の横に姿を現しはしたが、手遅れであった。

仕方なく掻い巻き姿で、舟の上から皆に旅立ちの挨拶《あいさつ》をすることになる。

「何か情けないねえ」

これから暫く両親と離れるかと思うと、少しばかり寂しい。初めての旅だし、言葉に詰まった。何を言っていいのか分からず、若だんなは朝顔の品評会の番付を買っておいて欲しいと、父に頼んで笑われた。

「ゆっくり養生してきておくれ」

おたえが、気づかわしげに言う。

「毎日たんと食べるんだよ。お薬はきちんと呑《の》まなきゃね。暖かい格好でいてね。それから、それから……」

じきに舟が岸を離れ、そのまま堀川を東へ通って佃島《つくだじま》へと向かう。その先に泊まっている常磐丸に乗り換えるのだ。後は船で一息入れている内に、小田原まで運んでもらえるという手筈《てはず》であった。

舟には何度か乗ったことがある。堀には他にも幾つもの舟が、荷を積んで行き来していた。樽《たる》が、菜が、横を通り過ぎて行く。隅田川も最河口に出てしばし揺られていると、海が開けた方に船が見えてきた。

「おやあ……常磐丸は大きいねえ」

遠目で見たことはあったが、若だんなは長崎屋が持つ船に乗ったことが無かった。舟で近づくとその大きさが際《きわ》だつ。常磐丸は千石をぐっと上回る大きさがあり、船には十四人ほどの水主《かこ》が乗っているのだ。船の半ばに、縦に筋の入った大きな帆が張られていた。船首の方には、ぐっとちいさな帆も見える。

見れば常磐丸では、早くも若だんな達の舟を見つけ、乗船の用意を始めた様子であった。

「ああ、手を振っている。佐助を目印にしたのかな。ねえ」

廻船《かいせん》問屋の方で働いている佐助は、水主達とも馴染《なじ》みであった。だがどういう訳か佐助は余所を見てばかりで、珍しく生返事を返してきた。烏《からす》がやけにうるさく近くで鳴いている。

「どうしたの、佐助。さっきから空の方を見てるけど、何かあるの？」

「いえ、別に……」

返事の歯切れが悪い。

(私が初めて遠出をするんで、気を尖《とが》らせているのかしら)

佐助は長崎屋に来る前に、長く旅をしてきている。慣れているはずだが。

不思議に思い仁吉とその事を話そうとしたら、こちらの様子まで何だか変であった。若だんなから離れ、舟の尻尾《しっぽ》の方にいる。佐助がそちらへ行き、二人は何やら話をしている。

「仁吉？　佐助？」

若だんなは揺れる舟の上で、何だか落ち着かなくなってきていた。この旅立ちは、何か……おかしくはないだろうか。

（どうしたのかしら……）

しかし二人に問う余裕は無かった。既に常磐丸が側に見えている。すぐに乗り換えだ。佐助が戻ってきて、若だんなを掻い巻きごと小脇《こわき》に抱える。若だんなはすばやく舟から降ろされていった。

4

常磐丸は弁財船《べざいせん》と呼ばれている船であった。江戸と大坂の間を行き来した菱垣《ひがき》廻船、樽廻船にはこの船が使われている。はるか蝦夷地《えぞち》と上方《かみがた》を往復した北前船《きたまえ》もこれだ。人が艪《ろ》をこがないで、帆に風を受けて走る大型船で、長さは五十尺以上もあると、水主の一人が教えてくれた。手綱《たづな》、両方綱などでぴんと張られた白い帆が、風を受けて大きく張り出す姿は美しい。若だんなは初めて乗った大きな船に、直ぐに夢中になった。

二人の兄や達が側にひっついていないのを幸いに、早々に掻い巻きから抜け出し、中を見て回った。船酔いする間も無く、海の景色や船に見とれる。海の青さが空と交わる所まで続いている。堀川などとは別物の雄大さであった。

「小田原は江戸から歩いたって、丸二日もありゃあ着く所です。船なら直ぐですよ、若だんな」

船上にいた水主が、気のよさそうな顔で言う。長崎屋に縁《ゆかり》の者は、皆若だんなが病弱だと心得ているから、気を遣っているのだろう。

「いつもは寄らない港に回って貰《もら》って、手間をかけるよ。済まないね」

「ありゃあ若だんな、この船は長崎屋のものですのに。どこへ向かわせようが、若だんなが遠慮なさる必要は無いんですよ」

水主らはそう言って笑う。若だんなは首を傾げた。

「そうなのかな。でもやっぱり、悪いなあと思うんだけど」

それを聞いた皆が、また機嫌良く笑った。若だんなは船のあちこちに顔を出して色々聞き、しばし楽しんでいた。

ところが。港を出てからどれ程経《た》った時だろう。若だんなは突然、空から舞い降りてきた鳥の一群に襲われたのだ。

「わわっ、ひええっ」

慌《あわ》てて船の中に逃げ込む。

(海にも鳥って、いるんだねえ)

暫《しばら》くして恐る恐る船上に戻ると、水主の一人から声がかかった。

「大丈夫でしたか、若だんな。落ちていた掻い巻きはどうしておきましょう。船室に運びますか？」

「えっ……あれ、置きっぱなしだったかな。ごめんよ」

ひょいと首を傾げ……若だんなは急いで水主が持っていった掻い巻きの後を追った。鳥に驚いた時に、船上に置き忘れたらしい。だがいつもなら兄や達が、直ぐ船内にしまいそうなものだが。

(そう言えば佐助達はどこだろうか。暫く見ていないな)

荷物の確認でもしているのかもしれない。船の中に入ると、さすがに日中でもかなり暗かった。案内された先では、松之助が一人で掻い巻きを畳んでいる。

「あれ、ここにいるのは兄さんだけ？　兄や達は？」

「おや、若だんなと一緒じゃなかったんですか？」

共に首を傾げることになった。若だんなは届けて貰った掻い巻きを見つめた。

(考えて見れば、もう船に乗って随分と時が経っているね)

佐助は今朝、風が吹いているからと、若だんなを掻い巻きでくるみ込んだ。それ程心配性なのに、掻い巻きをほったらかして船のあちこちに顔を出している若だんなに、小言を言ってこない。

（仁吉だって……）

まだ頭の怪我《けが》が治りきっていないと、仁吉は日に何度か若だんなに薬を飲ませる。気がついたら今朝飲んだきりで、その後はまだ薬を貰っていなかった。

「変だな……」

「若だんな、何がですか？」

松之助の声に返事をする間を惜しんで、若だんなは船頭の元へと向かった。やはりここにも兄や達はいない。居場所を知っている者が居るかと水主に問うたが、返答がない。

（どうして二人の姿が見えないんだろう）

若だんなが不安げな顔つきをしたので、船頭が笑った。

「手代さんたちを捜しておいでなんですか？　どこぞにおられますよ。何しろここは海の上なんですからね」

船の中以外に、居る場所は無いのだ。船頭は水主達に二人を捜してくるよう、言いつけてくれた。

しかし。

水主達はなかなか船頭の元へ、帰って来ない。そしてようよう戻ると、目を逸《そ》らしがたい事実が浮かんで来てしまった。

「はあ？　手代さん二人の姿が……どこにも見えない？」

その報告に、船頭はひたすら驚いている。だがもう一度捜しても、船上にも船内にも二人の姿は無い。乗り換えの佃島では、確かに二人とも若だんなの側に居た。荷物を水主に頼んでいた。その姿を若だんなは憶《おぼ》えている。

（なのに今、二人はここに居ない……）

若だんなの側から離れてしまっている。風に乗り、空の果てに飛んで消えたとでもいうかのようだ。船の者達が呆然《ぼうぜん》としている。

「若だんな……お二人は泳げましたか？」

やがておずおずといった感じで、船頭が聞いてきた。海は荒れておらず、病弱な若だんなですら、船縁《ふなべり》からころげ落ちるような空模様では無い。己から海に飛び込んだとしか、考えられぬのだろう。

「泳げるよ」

簡潔に返事をする。

（でも勿論《もちろん》あの二人なら……船から離れたければ、もう少しましな方法を取れたはずだ）

海の主《あるじ》たる大魚でも呼んで、その背に乗せて陸まで運んでもらったのかもしれない。幽霊の操《あやつ》る船を呼んだとも考えられる。風に乗るとか、海の上を走ることすら、出来るかも知れない。もし、もし……二人が自ら船から下りたいと思ったのなら、どうとでもやれるはずだ。

「しかし、そんな！　若だんながここにいるのに！」

いつの間にやら若だんなの側に来ていた松之助が、呆然とした声を出した。松之助はまだ長崎屋に来て日が浅い。だがそれでも、兄や達二人が、いかに若だんなに甘く付きっきりでいるか、日々見ている。二人が若だんなから離れる……しかも初めての旅の初日に離れるなど、考えられないのだろう。

若だんなは誰よりも混乱していた。

（兄や……佐助は確かに乗船したよ。掻い巻きに包んだ私を常磐丸に運び込んだのは、佐助だったからね）

つまり出航した後、常磐丸の上から佐助は消えたことになる。

（仁吉はどうだろうか）

不思議なことに、仁吉の行動を若だんなはよく憶えていなかった。はっきりしているのは、佃島までだ。もしかしたら常磐丸に乗ったのは荷物だけで、仁吉は船には乗らなかったのかもしれない。

(でも……何故《なぜ》?)

何が不思議かといって、それは二人が海の上で行方《ゆくえ》知れずになったことではない。そんなこと、船頭や水主には言えなかったが。

問題は、どうして二人がそんな行動を取ったのか。その点であった。

(佐助が突然船から下りたとしたら……何があったのだろう? 仁吉が乗らなかったとしたら、その理由は何だ?)

兄や二人は若だんなを船旅に連れて出た。だから今朝までは予定通りだったはずだ。何かあったとしたら、その後だ。だが妙なことと言えば、海上で烏を見かけたくらいであった。

(そういえば佃島の辺りで、二人の様子が何だか変じゃあなかったか?)

何やら、二人きりで話をしていた。しかしもし、急にのっぴきならぬ用が出来たとしても、若だんなに一言も告げず消えてしまうのはおかしかった。

(でもそうかといって、他人があの二人を力ずくで船から引き離すことなぞ、出来や

しない)

二人は妖で別格の力がある。それなのに誰も騒ぎ一つ聞いていないのだ。

何故、何故に、若だんなの側から兄や達が離れたのか。船の中の皆は、何とも緊張した顔つきをしている。海は穏やかで青く、静かな船旅であるのに、暗雲の下にいて嵐《あらし》が真横から吹き付けているような心持ちだ。

「あの、若だんな、どうしましょうか……」

船頭が困った様子で聞いてきた。水主達や兄の心配げな顔が、若だんなを囲んでいる。勿論船では船頭が万事を仕切る。だが船は長崎屋のもので、今回の旅は若だんな達の為にあった。こんな事態になったからには、この先どうするか、若だんなが決断をしなくてはならない。

若だんなは皆の方を向くと、不安げな船頭達に向かって、きっぱりと言った。

「とにかく予定通り、小田原へ行って下さいな。後のことはそこで決めますから」

第一、潮に乗っている船に、急にお江戸に向かって取って返せとも言えない。

「ひょっとしたら何ぞ所用を済ませて、小田原に兄や達が来るかもしれないし」

「……分かりました。じゃあとにかく、小田原へ向かわせて頂きます」

判断が下され、船頭や水主達は一応落ち着いた顔つきをした。とにかく己らが何をすればいいのか、分かったからだろう。じきにそれぞれの持ち場へと帰って行く。

　しかし若だんなの表情は冴《さ》えなかった。じっと船縁から、穏やかな海を見つめる。その側に、松之助も立ちすくんでいた。

（ああ言ったけど、仁吉達が小田原で待っているなんてことは……多分無いな）

　いささか無理のある都合の良い考えだということは、若だんなにも分かっている。船旅の間だけ、ちょいと他に用が出来たなら、若だんなに伝えておくはずなのだ。

　しかし！　若だんなは先に進まなくてはならない。

（ここで旅を半端にして帰ることは出来ないよ。兄や達が私抜きで、いきなり長崎屋に戻るとは思えないし）

　このまま旅を切り上げたら、二人とはもう会えない気がする。若だんなは大事な大事な兄やを失ってしまう。何故だか分からないが、そんな予感がした。

（そんなことは出来ない）

　ならばとにかく小田原へ、そして先の箱根へ向かうのだ。こんな事になった理由を突き止め、兄や達を取り戻さなくてはならない。若だんなは松之助の方を向き、小さく笑う。

「初《しょ》っぱなから、大嵐に見舞われた旅となってしまったねぇ」

船縁を握りしめる手の指に、ぐっと力を込めた。

5

水主《かこ》の言葉通り、小田原へは思いの外早く着いた。

ここで小舟に乗り換え、港に向かうのだ。岸までは水主達に助けて貰えるから、兄や達がいなくとも、荷運びなどさほど大変ではない。しかしこの先、松之助と二人きりの旅となってしまう。

やはり不安げな顔になった船頭が、一旦《いったん》長崎屋に戻ってはどうかと、降りる前、若だんなに勧めてきた。小田原から江戸に向かう他の船に乗せて貰えるよう、話をつけてくれるというのだ。

「でも、帰る為には兄や達が足りないよ」

若だんなはきっぱりと首を振ると、兄の松之助と共に二つの革袋を持ち、小舟に移った。港に上がると、礼を言い水主達と別れる。海に浮かぶ常磐丸が遠く感じられた。

(これから兄さんと、それに己だけを頼りに、旅をするんだ)

若だんなは唇を嚙《か》むと、早々に人足《にんそく》を雇って荷物を任せた。三人で小田原の宿《しゅく》へ入り、茶店の床机《しょうぎ》で一休みする。この宿でとりあえず兄や達を捜すのだ。

小田原宿《じゅく》は江戸から二十里二十七町のところにあった。箱根の関所を控え、ここで宿を取る旅人が多いとかで、五十軒をこえる宿が並ぶ宿場は大層賑《にぎ》わっている。

しかし松之助に辺りを見てきてもらっても、やはり二人の手代の姿は無かった。

「ねえ若だんな。小田原宿にも、お二人はいませんでした。こうとなったらやはり、長崎屋へ帰った方がよいのではありませんか?」

松之助までがそう言い出した。世間並みに考えれば、男二人で湯治へ向かう旅に、障《さわ》りがあるわけではない。しかし並外れて病弱な弟に無理をさせるのではないかと、松之助は不安なのだろう。

「このまま長崎屋へ帰ったら、兄や達が何で一緒にいないのかって、おとっつぁんが必ず聞くよ。旅の途中で突然行方不明になったって言ったら、おっかさんが怒って、二人に暇を取らせるかもしれない」

若だんなは、何としてもそれは嫌なのだ。

「力を貸しておくれな。ねえ、兄さん」

弟に泣きべそをかきそうな顔で言われ、松之助は溜息《ためいき》をついた。若だんなの肩に静かに両の手をかけ、正面から優しく問うてくる。

「あのですねえ……若だんな。本当は江戸に帰った方がいいと、分かっているのでしょう？」

若だんなが頷《うなず》く。しかしそれでも、帰りたくはないと踏ん張った。仁吉と佐助無しでは帰らない！

「どうでも兄さんが帰るっていうなら、私一人でも箱根へ向かうよ！」

「こんなに頑固《がんこ》だなんて、誰に似たんでしょうねえ」

「兄さんに似た」

言い張る弟に、松之助が口元をへの字にする。そのとき。

荷物がそろりそろりと、二人から離れていた。港で雇った人足が、茶を振る舞って貰《もら》っていた店先の床机から立ち上がり、歩き出したのだ。人足は見た目よりも計算に強く、おまけに預かった荷は、大きな革袋二つ分もある。これなら駄賃《だちん》をもらうよりも、荷を売っぱらった方が実入りが良いと、咄嗟《とっさ》に判断したのだ。話し込んでいた若だんな達は、それに気がつかない。

だが人足は十間程行った所で、突然大きな悲鳴を上げ地べたにひっくり返った。

「うわっちちっ、痛てえっ！　何だ？」

若だんなが声の方を見ると、人足が荷を抱えたまま、随分遠くにいる。その足に鳴家達が食いついていた。思い切り歯を立てている。

「お前、預かった荷をどうしようって言うんだ！」

事に気がついた松之助が、慌《あわ》てて革袋を取りに走った。道をゆく者達が立ち止まって、その騒ぎを見ている。鳴家達は革袋にさっとはい上がる。男はどうして痛み出したか分からない足を押さえつつ、革袋を持ったまま吐き捨てるように言った。

「けっ、何様か知らんが、大きな荷を抱えてるのに、ぼうっとしている方が悪いのさ」

「何っ！　荷を返せ！」

ところが人足は革袋を抱え込んで、離そうとしない。

「まだ渡せねえ。運び賃を貰ってないからな」

松之助が怒りで肩を震わせる。その時横から若だんながひょいと割って入って、金を払うと言いだした。

「若だんな、こいつは荷を盗《と》ろうとしたんですよ。盗人《ぬすっと》だ！」

「でもねえ兄さん、まだ盗られてないし。それに働いて貰ったのは確かだもの」

若だんなのお人好しを見て、人足の態度がまた、ふてぶてしくなった。ずいと若だんなに手を差し出してくる。

「ええと、金子ねえ……」

若だんなが、すいと道中差しに手を添えた。鍔《つば》に手をかける。刃物を突きつけられるとでも思ったのか、人足の顔が、あっという間に強《こわ》ばった。

「な、なんでえっ、馬鹿《ばか》野郎」

荷を地べたに取り落とし、急いで逃げるようにして遠ざかってゆく。人足の顔には、もう厚かましさは無かった。

「あれ、どうしてお金を受け取らないで行っちゃったの？」

旅用の道中差しの中から取り出したのは、刃物ではなく、小粒金だ。若だんなは少し驚いて、金から逃げてゆく人足の後ろ姿を見つつ、どうもまだ旅のことはよく分からないとぼやく。松之助はその言葉に苦笑しながら、革袋二つを抱え込んだ。重いからと若だんなには持たせてくれない。

「これから箱根湯本の先まで行くのに、兄さん一人で二つの袋を持っていたんじゃ、大変だよ」

「若だんなに荷物持ちなぞ、させられませんよ。養生に来たんでしょう？」

茶屋の店先で荷を取り合っている間に、鳴家達が若だんなの袖《そで》の中に潜り込む。気がついた若だんなが、その頭を優しく撫《な》でた。

（ご苦労様。お手柄だったね）

（あ奴、我らの大事な金平糖を盗んだのです。許せない奴で）

立腹した小声が返ってきた。

そのとき、背後から二人に近寄ってくる影があった。若だんな達が気がついたときには、何人かの男達が息が掛かるほど近くにいた。壁のように立ちはだかっている。

（しまった……やっぱり旅は別格だ。いつもみたいに話し込んでちゃ拙《まず》いんだね）

そうと分かった時にはもう遅い。二人が思わず一歩二歩後ずさると、男が口を開いた。

「なあ、あんたらなあ、箱根湯本の先へ向かうのか？　どこまで行くつもりなんだ？」

ごつく、でかく、迫力のある男が聞いてくる。その格好が、体格が、男らが誰だかを雄弁に語っていた。

「雲助《くもすけ》……」

夏も冬も区別無く単物《ひとえもの》を着て過ごす、往還稼ぎだ。荷の運搬や山駕籠《やまかご》で人を運ぶのを生業《なりわい》としている者だ。決まった住まいの無い輩《やから》も多いと聞く。頑強な体つきをし、その風体で迫って、過分な酒手《さかて》を旅人にねだったりするので、評判が悪く、その噂《うわさ》は江戸にまで伝わっていた。

よって、松之助はさっと革袋を抱きしめ、身構えた。若だんなが雲助のたくましい体つきに、珍かなものでも見る眼差《まなざ》しを向けつつ、あっさりと答える。

「行き先は塔之沢《とうのさわ》という所の、一の湯という宿なんだけど、知っている?」

「おうおう、勿論知っているさ。今からその重そうな荷を持って歩くんじゃあ、難儀だろう。どうだい、乗っていかないか」

そう言って示されたのは、簡単な作りの駕籠であった。山駕籠というらしい。富士山を逆さにしたような三角形で、骨組みは竹でできている。江戸の四ツ手駕籠より安手で、藍《あい》の座布団《ざぶとん》がしいてあった。代金を聞いた松之助が、そのぼろい駕籠をもう一度、見つめ直した。

「塔之沢までこの駕籠で、五百文だっていうのかい? 随分とするんだねえ……」

「文句を言うもんじゃないねえ。楽して旅が出来るんだ。安いもんさ」

「食事の付いた宿に一晩泊まったって、二百文くらいのもんなんだよ」

「嫌だって言うのかあ? まけろなんて辛気くせえことを言ってると、途中で放りだすぞ!」

既に駕籠に乗ることが決まっているような口調で、凄《すご》んでくる。そんな中雲助の大声をものともせず、若だんなは興味津々《しんしん》の顔で、美しい雲助の腕の彫り物を眺めていた。

「ねえ、兄さんもこのお人に見せて貰いなよ。凄く綺麗だよ、この龍《たつ》」

嬉《うれ》しそうに言うと、褒められた雲助がまんざらでもなさそうな顔をして、見やすいように腕をさし出してくれる。若だんなは喜んでまた褒めた。

そのとき、ぐらりと地面が揺れた。

雲助らの顔が、さっと強ばる。しかし直《す》ぐに余裕のある態度に戻った。雲助らは慣れているように見えた。しかし……若だんなは顔をしかめる。

「地震だよね。このところ、こっちでも多いのかな？」

「続いているねえ。神山《かみやま》がまた怒っておいでじゃないかと、そんな噂もあるくらいさ」

「噂？　ねえ、どんな話があるの？　その話、聞かせてもらえないかな」

「駕籠に乗ってくれりゃあ、道々話をしてやろうよ。色々あるからな」

そう言われると若だんなは、ちょいと考えた。そしてすぐ雲助の手に、二人分の駕籠代である一分金を乗せる。

「じゃあ、塔之沢まで駕籠をお頼みしようかな。旅には慣れていないんで、運んで貰った方が安心出来るし」

それにこの大男の雲助達が側にいれば、無法者が近寄らなくていいと若だんなは笑い、駕籠に乗った。これでさっきのような不心得な盗人と出会うことも無い筈《はず》だ。若だんなはものの値段には疎《うと》いが、いつ、どこで、いかに有効に金を使うかについては心得ていた。先払いの金を見て、雲助達もにやにやしている。一人、松之助だけが溜息をついていた。

「それじゃあ、若だんなは駕籠を使うとして……私は歩きますから」

宿に二日も泊まれる代金を払うのは勿体《もったい》ないという。するとここで若だんなは、塔之沢に着いたら酒手をはずむと雲助らに約束した。それから悪戯《いたずら》っぽくぺろりと舌を出すと、ちょいと兄を指さし、後ろの駕籠の方を指す。これを見た雲助らが思いっきり、にかっと笑い、そしてさっと松之助を摑《つか》むと駕籠に放り込んだ。

「な、何をするんですかっ」

「よっしゃあ、行くかあっ」

威勢の良いかけ声と共に、二挺《ちょう》の駕籠が持ち上がった。それと共に小田原の景色が動き出す。

駕籠は担《かつ》ぎ手だけでなく、乗る方にもこつがいるものだ。慣れないと、体が強ばり痛くなる。下手な乗り方をしていると、転げ落ちかねない。

「あ、あの、あのあのっ」

松之助が必死に体の向きを整えている内に、はや雲助達は調子よく拍子を刻み出す。駕籠は連なって、小田原の宿を後にしていった。

小田原から箱根宿までは、四里八町だ。若だんな達の行く先、塔之沢は、湯本から少し道を登った先にある。周りは山ばかりであった。

「まだ箱根八里という程の、急な山道じゃあないよ。道だって石畳《いしだたみ》なんかじゃないだろう?」

雲助達は大層力強く駕籠を担ぎながら、そう言って笑う。それでも江戸で生まれ育った若だんなにとっては、ここは山の中だ。木は生い茂り人の姿がない。幾重にも重なり続くその光景が物珍しい。

鳴家達が時々、そっと袖口から顔を出し、ある木を指差しては「ぴいぴい」と小さく鳴いている。どうやら細っこい実のなる団栗《どんぐり》を見つけたらしい。欲しいのだ。

旅人とも時々出会うが、頑強な雲助達はさっさとすれ違い、また追い越してゆく。駕籠の旅に慣れ、暫《しばら》く黙っていると、また心配事が頭を過《よ》ぎる。兄や達のことだ。

(仁吉……佐助……)

二人がここにいてくれたら、どんなにか楽しかったかと思うと、若だんなは溜息をついた。

(今度会ったら……思い切り文句を言ってやろう。絶対言うぞ！　心細かったって)

また零《こぼ》れ出る溜息を抑えきれずにいると、遠くの山の天辺《てっぺん》辺りが、白く霞《かす》んで見えなくなってきた。山の天気は変わりやすそうであった。

塔之沢の一の湯は、早川沿いにあった。

その宿に着いたとき、雲助に酒手を払ったのは若だんなであった。生まれて初めて駕籠に乗るという贅沢《ぜいたく》を味わった松之助は青い顔をして、船酔いでもしたかのようにふらふらとしている。支払いどころでは無かったのだ。

あらかじめ手紙で到着を知らせておいた旅籠《はたご》は、思っていたより小さかった。豪勢ではない。だが、なかなかにしっとりとした風情《ふぜい》があった。

主人によると、塔之沢には二十軒には足らぬくらいの温泉宿があるという。山々が重なる中、茅葺《かやぶ》きの屋根の家屋が川縁《かわべり》に建つ光景は、それだけで美しい。江戸は通町の賑《にぎ》やかな光景とはまた違い、趣深いものであった。若だんなはきょろきょろと、初めての宿を見回しつつ、中へと入った。

(もしかしたら、宿で兄や達が待ってるんじゃないか)

若だんなに、そんな微《かす》かな希望があったとしても、それはまたもあっさり破られてしまった。やはり二人はここにもおらず、この湯治が思いもかけぬものになったことが、ひしひしと感じられる。

ゆるりと滞在して、体を治したいと伝えておいたので、一の湯では奥にある二間続きの部屋を、用意しておいてくれた。小さな庭は、周りの山々を借景《しゃっけい》として整えられている。部屋数は多くはなく、七、八間程かと思われた。宿には一坪ほどの大きさの、湯壺《ゆつぼ》があるという。他に塔之沢の村の共同湯もあった。

湯治に来たものは、一日に七、八回も湯に入るものだと宿の者に聞き、若だんなは目を丸くする。とりあえず二人で部屋に落ち着き、夕餉《ゆうげ》として簡単な茶漬けなどを出して貰った。だが……食べ終わっても、若だんなは直ぐに湯に入る気にもなれない。

「さて、これからどうしてゆくか……」

若だんなは自らに問うように、口に出してみた。

「答えが思い浮かばないね」

分かるのは、兄や達は長崎屋へは、帰っていないだろうということだけだ。松之助が、若だんなに薬を差しだし、優しく言う。

「とにかく今日はもう、これを飲んで寝て下さい。初めての旅でしたし、大変でした。

若だんなは疲れておいででしょう」

　塔之沢まで旅したと言っても、船で運ばれ、後は駕籠に乗ってきただけであった。なのに若だんなは、床に針で縫いつけられたかのような、身の重たさを感じていた。

「早く、仁吉達を捜したいのに……」

　溜息《ためいき》をつくと、松之助が優しく笑っている。

「きっと明日になれば、疲れも少し取れて、お二人を捜す良い案じも浮かびますよ。さあ、横になって下さい」

　もし寝込むことになったら、兄や達を捜すことも出来ない。そう考えて若だんなは、早々に床に入った。松之助がそっと隣の部屋に消える。後は、いつもと同じような闇《やみ》があるばかり。だが江戸の離れとは何かが違った。

（山の夜は重いなあ……）

　宿の横手には川がある。水音が聞こえ、静かすぎる訳では無かった。なのに、のし掛かってくるような闇の暗さと重さを、どう言えば良いのだろう。

（本当に今日は、色々あった……）

　眠りに落ちそうになったとき、ゆらりと揺れを感じ、若だんなは小さく声を上げ身を起こした。

「地震?」

だがこれも大きくは無く、直ぐに収まる。

「大丈夫ですか?」

隣の部屋の松之助と声を交わした後、またそのまま横になる。しかしそれきり寝付けない。思いだした事があったのだ。

(旅の前、長崎屋の離れで地震があって……そのとき、妙な声を聞いたことがあったね)

夢かとも思ったので忘れていた。

(あの声は、私を殺すと言っていた)

若だんなが、死んでしまうかもと嘆いていた。おまけに若だんなが何かを持っていて、それが欲しいと話していたのだ。

そして誰かが……女の子が泣いていた。

考えてみれば、あの声が奇妙な出来事の始まりだった気がする。おまけに、話していたのは別々の声であった。

(私は寝込んでばかりで、誰かに恨まれる覚えはないけれど)

しかしそんな若だんなでも、昔、なり損ないの付喪神《つくもがみ》に襲われた経験がある。恨みや思い詰めた心というものは、どこで湧《わ》き出して、どこから降ってくるか分からないものだ。

(あの声のことを、もっと考えてみるべきなんだろうか。それが二人が居なくなった事と関係しているんだろうか)

若だんなは横になったまま、真剣に考え始めた。まずあの夜聞いた第一の声の謎《なぞ》。若だんなを殺したら、誰かがすっきりするのか?

(うーん、そんなお人は思いつかないが)

第二の声の謎。若だんなのことを、心配する声を聞いた。

(兄や達がいなくなったことと、関係あるのかな?)

第三の声の謎。人のうらやむ物を、持っているのか?

(これは沢山あって、考えがつかないや)

両の親が理由をつけては、高い物や安い物、とりどりに買ってくれるからだ。おまけに長崎屋は廻船問屋だから、水主《かこ》や船頭達から、江戸ではなかなか見ない品を、若だんなはよく貰《もら》う。

(だからって……ええい、分からないことだらけだよ)

考えこんでいるそのとき、部屋の隅で微かな音がした。

しかし一の湯は早川沿いに宿がある。常に川の音が聞こえるので、僅《わず》かな音などかき消されてしまう。鳴家達も、若だんなに乗っかったり踏んづけたりしながら、ぐっすりと寝ていた。

襖《ふすま》が少し開いた。

それからしばしの間、部屋はそのままであった。だが、また少し大きく襖が開く。

若だんなが寝返りを打った。何かが動いた気がしたが、鳴家かもしれない。もしかしたら、この地の妖《あやかし》がいるのかもしれない。ここは宿屋で、いつもの長崎屋とは違うのだから。

少し、風を感じた。

（………？）

何となく妙な心持ちがして、真っ暗で手の先も見えぬ中、布団の上に起きあがった。

途端！　若だんなは頭から何かにくるみ込まれてしまったのだ！

（えっ？）

声を上げる間もなく口元が塞《ふさ》がれる。胃の腑《ふ》が急に痛くなる。気持ちが悪いと思った。頭がふらふらとする。

後はただ……何も分からなくなった。

二　塔之沢

1

箱根のことを語ろうか。

聞きたいって言ってたろう？　そう、この地には色々な言い伝えがあるんだよ。

まあこの日《ひ》の本《もと》じゃあ、余所《よそ》でも様々、その地に伝わる話を聞くさ。若だんなの住まうお江戸だって、そうだろう？　だがわっちはこの箱根の話が気に入ってるね。面白いのさ。

それにここは、山が重なり緑はどこまでも濃い。水は満々とし湯も湧《わ》き出る、神の恩寵《おんちょう》深い地だ。そのせいか、箱根の話は神々や怪異と縁《えにし》が深いな。人の手の届かぬ土地が、多いからかもしれないねえ。

赤飯の話を聞いたことがあるかい？　箱根にある大きな湖、芦《あし》ノ湖《こ》じゃあ毎年夏、赤飯をお櫃《ひつ》に入れ湖に沈めるんだよ。三升三合三勺《じゃく》、九頭龍明神《くずりゅうみょうじん》様に捧《ささ》げるのさ。

このお櫃は、決して浮かび上がって来ないそうだ。どんなときでもだ。

これはこっそり古老に聞いたんだがね、この地下には、広い水脈があって、地の上と地下の幾つもの池は繋《つな》がっているんだそうな。お櫃はそこから神の元へ運ばれるんだろうってことだ。だからお櫃は一度、とんでもなく離れた池から、ひょっこり見つかったと聞いたよ。

地下に大きな池があるとなると、地上の水が、そっちに全部落ちてしまわないかって？　箱根じゃあ、水が溢《あふ》れたり干上がったりしないよう、神が水脈に水門を作り、見て下さっているという話だ。

その門が壊れぬよう縛っているのは、途方もなく長い蔦《つた》だとも、とんでもない形の花が咲く朝顔の蔓《つる》だとも言われている。どちらにせよ、見た人はいないんだ。神の庭先でのことだからな。古老はこの話、どこから聞いたのやら。

他の話も聞きたいって？

いいよう、いいよう、話してやろうさ。だが寒い風が吹いてきた。何ぞ羽織《はお》るものがあったら、着た方が良かあないかい？

震えているよ、若だんな。

そんな言葉と共に、ちらりと山駕籠《やまかご》に乗った客を見たのは、箱根の雲助《くもすけ》だ。龍《たつ》の彫りものをしている為《ため》か、新龍《しんたつ》と呼ばれていると名のった。声をかけられたお客は、革《かわ》袋《ぶくろ》を一つ抱えた長崎屋の若だんな一太郎であった。

今、山駕籠は二つ連なり、山道を塔之沢から箱根宿《じゅく》の方角へと登っていた。闇《やみ》の深い夜の山道のこととて、雲助が一人松明《たいまつ》をかかげ駕籠の前を進んでいる。人魂《ひとだま》のような光の固まりが雲助の歩のままに、闇の中を弾むようにゆくのだ。

若だんなは、竹で編まれているので、すかすかと風通しの良い山駕籠の中から、松明より立つ煙を見ていた。直《す》ぐに薄くなり夜の闇に紛れてゆく。月は気まぐれにその相貌《そうぼう》を雲に隠し、山を時にふさわしい真の闇で包んでいた。

先程から雲助の話を聞いているのは、若だんなだけでは無い。後ろの駕籠には兄の松之助《まつのすけ》が乗っており、駕籠脇《わき》には並んで歩む者がいた。松明から届く僅《わず》かな光が、その者達の袴《はかま》の縞《しま》を照らしている。侍《さむらい》であった。

その時後ろの駕籠から、溜息《ためいき》まじりの松之助の声が聞こえてくる。

「こんな真夜中に、若だんなを寝かさずにいるなんて……。これじゃあ病になってしまう。療養に来たっていうのに」

しかし当然寝ているべき夜中、二人が箱根の山中にいるのは、松之助のせいでは無い。有り体に言えば若だんなと松之助は、先刻泊まっていた宿屋一の湯の寝間《ねま》で、生まれて初めて人さらいにあったのだ。

最初に、寝ていた若だんなが襲われた。布を被《かぶ》せられ、声すら出せなかった。

(苦し……)

目を回し倒れかけた拍子に、若だんなは布団《ふとん》に潜り込んで寝ていた鳴家《やなり》を、思い切り踏んづけてしまった。

「ぎょげっ」

そのしわがれた声で、隣部屋で寝ていた松之助が目を覚ました。直ぐに襖《ふすま》が開く。暗い部屋の中に、僅かな月明かりが漏れた。そのせいで、松之助には若だんなが襲われていると分かったらしい。

「お、押しこみか!」

松之助は無謀にも、遮二無二《しゃにむに》賊に飛びついた。人が入り乱れた拍子に、若だんなの頭に被せられた布が外れる。急いで兄に叫んだ。

「兄さんっ、無茶は駄目だよ」

そう言った当の若だんなは、鳴家がやっていたように、賊の手に噛《か》みついていた。

体を押さえつけられ、嚙むしか出来なかったのだ。

「痛っ……何と言った？　兄さんだって？」

　侵入者は嚙みつかれたことよりも、その言葉に驚いたらしい。動きを止める。直ぐに別の声がした。二人いたのだ。

「長崎屋の息子は、一粒種では無かったのか？　うわっ、殴ってきた。こいつが兄か」

「嚙むのを止めろ！　でもこっちは若だんなと呼ばれてましたが？」

　いつの間にか鳴家達も、総出で賊をがぶりがぶりとやっている。何故《なぜ》だか昨今、嚙みぐせがついているようだ。夜盗はたまらぬのか腕を振り回した。

　だが所詮、かなうはずも無かった。若だんなはあっという間に押さえ込まれ、松之助も組み伏せられた。しかし賊の二人はそれでも悩んでいるようであった。

「どうしましょうか……」

　どうも妙な会話であった。

「ええい構わん。両方連れていけばいい話だ」

　途端、首筋に光る物が当てられた。そのひやりとした感触に動けなくなる。

（連れていく？　物取りじゃないのか。人さらい？）

驚いている間に、若だんなは男の肩に担《かつ》ぎ上げられ運ばれてゆく。後ろから松之助の「離せっ」という声がした。

「刀を引いとくれ。革袋を摑《つか》みたいだけなんだから。どこへ運ぶ気か知らないがね、あの荷がないと、若だんなが死んじまうんだよっ」

松之助の必死の声がする。暗い中、若だんなは人さらいの肩の上から叫んだ。

「兄さん、刃向《はむ》かったら殺されてしまうよ。革袋なんか放《ほ》っといて。合羽《かっぱ》や手ぬぐいや懐中鏡《かいちゅうかがみ》が無くたって、死にゃしないんだから」

「そんなことは分からないよ。若だんなが雨に濡《ぬ》れるかも。手ぬぐいを首に巻けずに風邪をひくかも。鏡で顔色を確かめられなくて、無理をするかもしれない！」

「……兄さん、最近言うことが仁吉達に似てきたね」

兄も長崎屋に馴染《なじ》んだということだろうか。こんな時なのに思わず溜息が出る。ところがそこに、兄の安堵《あんど》の声が聞こえてきた。二人が言い合うのを聞いた侍が、解《と》かずに置いてあった荷を拾ってくれたようであった。

（おや？　人さらいにしては妙に優しいね）

さっきからこの賊は、どうも態度が変だった。担がれた若だんなが首を傾《かし》げている間に、かたりと音がしてどこかの戸をくぐる。すると寒い風が頬を撫《な》でた。

(一の湯の外へ出たんだね)

真夜中の塔之沢宿に、常夜燈《じょうやとう》の明かりは見えない。月が雲に隠れたり出たりで、足元もおぼつかなかった。それでも己《おのれ》を担いでいる男達がどういう者なのかを、月下で初めて見ることが出来た。若だんなは目を見開く。

(侍?)

しかもただの浪人には見えなかった。きっちりと結われた髪が目に入る。整った旅姿だ。太い腕が、驚いて声も出ない若だんなをそっと地面に下ろした。途端、冷たい風が足元を舞って、若だんなは咳込《せきこ》んでしまった。

「寝間着のままじゃ、若だんなが病になるよ。そりゃあ体が弱いんだから。殺す気かいっ」

すぐまた松之助が若だんなを心配し始める。その時道端から声がした。暗くて気づかなかったが、他にも人がいたのだ。その声が、面白がっているような調子で言う。

「お二人さん、どっちかが宿から羽織でも取ってきてやったらどうかい? せっかく攫《さら》ったってえのに二人の具合が悪くなったら、厄介《やっかい》じゃあないかね。これから長丁場だよ」

すると、戸惑ったような短い声が聞こえた。若だんなの側《そば》にいた侍が、もう一度刀を見せつける。

「おとなしくしててくれよ。手荒なことはしたくないんだ。二人とも動くな」

その言葉を残し、松之助を連れ出した方が、一の湯へ戻って行くのが分かった。若だんなはぐっと首を傾げる。

(たまげた。本当にあのお侍、羽織を取りに行ったのかしら。おやまあ、妙に、変に、親切な人さらいだね。はてさて)

そのとき不意に、近くでなにかがはぜる音が聞こえた。横を向くと、火が夜を押しのけ輝いている。見れば一の湯の側に、駕籠が二つ置かれていた。横に雲助が五人いる。内一人が、大きな松明に火を点《つ》けたようだ。その炎に照らされた雲助の顔を見て、若だんなが大きな声を出した。

「あれ？　けほっ、昼間の駕籠かきさん？」

箱根へ来るときに、若だんな達が小田原で雇った者達であった。まだ箱根にいたらしい。一番背の高い、龍の彫り物をした男が笑った。先程侍と口をきいたのは、この男の声だったのだ。

「また会ったなあ、若だんな。まあ、今の雇い主はお前さんじゃあ無いが」

雲助がにやっと笑いつつ、若だんなの横にいる旅姿の侍へ目を向ける。

侍は若いが、仁吉や佐助よりは幾つか年上だろう。姿はきちんとしていて、袴も着物もくたびれてはいなかった。やはりどう見ても、とても夜中に温泉宿へ、人をさらいに来るようには見えない。

しかし当の侍は、正真正銘の人さらいであると証明したいらしく、怖い顔で脇差《わきざ》しを若だんなに突きつけている。問うてきた。

「長崎屋の息子は、一体どちらなんだ。その息子に、我らと同道願いたい」

「二人とも息子だよ」

普段、長崎屋との関わりは決して口にしない松之助が、この時ばかりは間髪容《い》れずに返答した。若だんなと離されては大変だと思ったのかも知れない。

「こんな夜中にどこへ連れて行くの？　どうして？」

若だんなの方は、思わず聞き返していた。

「我らの用意したところへ。それ以上は聞かなくていい」

侍は抜き身を見せ、黙らせようとする。

(仁吉や佐助は、旅の途中でいなくなった。その上今度は人さらいに会うし。なんて色々起こる旅なんだろう)

若だんなが眉間《みけん》に皺《しわ》を寄せている間に、もう一人の侍が、着物を小脇に抱え戻ってきた。侍は松之助と若だんなに羽織をおっつけると、早く着ろとか、早々に駕籠に乗れとか、細々《こまごま》と指示を出す。大変きっちりとした人さらいのようであった。

（なんだか、仁吉や佐助の小言を聞いているみたいだね）

若だんなは急いで羽織を着つつ、思わず口に笑いを浮かべる。どうにも緊迫感に欠ける状況であった。

雲助達は例によって金で雇われているのだろう。この先二人運ぶのなら、追加で金が要ると言っている。味方でも敵でも無いらしく、侍の命令はきくが、若だんな達に親切にもする。金を出して貰《もら》った分だけは働くという様子であった。

「仁吉さんや佐助さんがいたら、こんなことには……」

松之助が後ろの駕籠の中で、こぼしている。その声を聞き、若だんなは少しばかり眉《まゆ》を顰《ひそ》めた。

（このまま攫われて……一の湯から動いたら、二人と連絡がつかなくなってしまうよ）

だが思う端から、己が笑えてきた。こんな騒ぎになっても、佐助達は助けに来なかった。つまり二人はこの近くにいないのだ。

（なんだい、いつもいつも、やたらと心配性な事を言ってたくせに。仁吉も佐助も、いて欲しいときに姿が無いじゃないか！）

思い切り文句を言ってやりたいが、当の相手がいない。若だんなはぐっと口を歪《ゆが》めた。

「それじゃあ、行くよ！」

全体が竹で編まれた、粗末な大笊《おおざる》のような山駕籠に、雲助達が手を掛ける。若だんなはちらりと一の湯の戸口を見た。店の者は気がついていないのか、それとも怖がっているのか……誰も出て来はしなかった。

その時！　ゆらりと地面が揺れる。すぐに雲助が駕籠を押さえた。

「おや、また地震だ」

ここのところ本当に揺れが多いためか、皆落ち着いたものであった。既に小さな地震くらいならば、訪れたばかりの若だんなですら慣れて、さほど驚かなくなってきている。

しかしその揺れのおかげで出立《しゅったつ》が遅れ、大いに救われた者もいた。そのとき宿から必死の表情で、三匹の鳴家達が走り出てきたのだ。何とか駕籠にはい上がると、若だんなの袖《そで》の中に入り込む。人さらいを怖がって、今まで宿に隠れていたのかもしれない。揃《そろ》って心《しん》の臓《ぞう》を、どきどきとさせている。駕籠かき達は、もう一度駕籠を持ち上げた。

「行き先は箱根宿だよ、若だんな。先に会ったときは、たっぷりと話が出来なかった。せっかくまた顔を合わせたんだから道々、箱根の話でもしてやろうかの」

脇を歩く侍に、きつい目で睨《にら》まれたにも拘《かか》わらず、雲助はあっさり、どこへいくのかを教えてくれた。まるで夜の中、ちょいと物見遊山《ものみゆさん》にでも行こうかという調子なので、若だんなは笑えてきた。

(この雲助の頭領格《とうりょう》は、肝が太いね)

とにかくこうとなったら、言われるままに箱根宿に行くしかあるまい。若だんなが腹を決めたとき、駕籠はすいと歩み出した。

夜の闇は重く、一行の歩は密《ひそ》やかであった。先には月光の下、黒々と幾重《いくえ》にも、神意濃い箱根の山の黒い影が連なっていた。

2

今度は天狗《てんぐ》の話をするとしようか。箱根に天狗がいるのかって？　もちろんいるさね。有名だよ。天狗だけじゃ無い。箱根山中には数多《あまた》の妖《あやかし》が出る。昔から知られたことなんだ。

天狗は鋭い嘴《くちばし》と爪《つめ》を持っている。鼻がそりゃあ高く目はぎょろりと眼光《がんこう》鋭い。背に大きな羽があるな。飛べるんだそうな。怪力を持つと言われ、神にお仕えしていると も聞く。

踏み込むべからずの領域に入ってしまうと、人は天狗とでっくわすのさ。天狗を怒らせると怖いぞ。何故ってどこまでも、飛んで追いかけてくるからね。心して怒らせないようにするんだな。

以前山で土地の者が見事な大木を切ったら、天狗の怒りに触れてしまったらしい。木はあくる朝、手も届かぬほど高い場所、つまり幾つかの木々の天辺《てっぺん》近くの枝に引っかけられ、置かれていたんだそうな。

そうとなったら木を下ろすことも出来ない。仕方なく大木はそのまま置かれた。だから場所さえ分かれば、今でもそいつを見ることが出来るんだそうな。ただ長い年月が木を腐らせ細らせ、もはや大木には見えないらしいがね。それでも奇妙な場所に、木が横に置かれていることには変わりない。

天狗様、怖し、怖し。

そうだ、神々の話も忘れちゃならないわな。いや、わっちは神様なんてえ神々《こうごう》しいお方に会ったことはないよ。でもね、この地は昔からそりゃあ、深く神様とかかわってきているのさ。

その一つが神に捧《ささ》げる生《い》け贄《にえ》だね。おい、何を驚いているのさ。箱根の地には龍神《りゅうじん》伝説がある。そういう場所には、えてして龍神に娘っこを捧げる風習があるもんでね。古《いにしえ》のやまたの大蛇《おろち》伝説からして、そうじゃないか。

わっちが先人の物語に詳しいって？　難しい言葉まで知っているって？　まあ、たまには物語好きな雲助もいるってことさ。

この箱根の芦ノ湖にも龍神がおわすよ。昔々は、大層な暴れ龍だったらしい。山を崩す。大雨を降らせ、水害が出る。作物も育たず村人は対応に困ったのさ。

古、湖の側に住んでいた衆は時々こっそり、生け贄を選んでいたという噂《うわさ》があるよ。龍神が暴れたままじゃあ、村が生き残れないからってことらしい。若い娘っこの生け贄が多かったという話なのは、やまたの大蛇伝説のせいかね。それとも本当に、娘が捧げられたからかね。わっちは知らないよ。

そんな生け贄の話の中でも、余りに大事になったので、今じゃあ真実が隠されている言い伝えがある。内証《ないしょ》のことなら、何でわっちが知ってるのかって？　そうさな、知り合いの神官様がこっそり、耳打ちして下さったからかな。嘘《うそ》だと思うのなら、それでもいいよ。

昔々、芦ノ湖は今より倍も広かったというんだよ。もっとぐっと、北の方にまで広がっていた。今でも昔、湖だったあたりは、土地が湿気《しけ》っている。そこにおわした龍神は、力も物凄《ものすご》かった。近くの村々が被《こうむ》った災いも、また並なものではない。龍神が酷《ひど》く暴れた次の年、今年また暴れられたら、もう村は保《も》たないというところまで、人々は追いつめられてしまった。

それで、とにかく生け贄の娘を出そうという話になったのさ。しかし、誰を龍神に差し出すのかで揉《も》めた。皆、己《おの》が娘だけは殺したくない。人情だよ。そうだろう？

そんな中で、一人の村娘に白羽《しらは》の矢が立ったんだ。何故《なぜ》ってその娘には、庇《かば》ってくれる親がいなかったから。父親はなんと、山の神だと噂されていた。母親は娘が幼い頃に、既に亡《な》くなっていた。

神の娘を生け贄にしたのかって？　したんだよ。うっかり庇ったら、己の娘が、親《しん》戚《せき》が、代わりに捧げられるかもしれないだろう？　それは怖いからね。人は……情けない根性を、身の内に持っているんだ。そんな噂を気にするよりも、龍神をなんとかする方が先の話だったのさ。

生け贄になった娘の名は伝わっていないな。しかし噂は本当だった。湖の近くにそそり立つ神山の神が、父君だったんだ。娘が生け贄となる話を聞いた父神は、それは驚いた。母親が人であれば、人として生きた方が良かろうと、娘を村に残しておいたのだ。その娘を人は、己らの身の安泰のために殺すという。

父神は怒ったのさ。龍神がもたらす被害など、子供の悪戯《いたずら》に思える程に怒った。生きながら湖に沈められかけた娘を取り戻す為、神山は爆発し、天から怒れる火のついた岩を落としたんだ。それは芦ノ湖の半分を埋めてしまった。村？ さて、どうなったのかな。

娘は助けられた。父神の元へ行き姫神となった。今も一緒に暮らしているんだそうな。これは……目出度《めでた》し目出度しと言っていい結末なのかね？

おや、また地震か。大きくは無いが、本当に近頃多いな。怖い、怖い。さて、次は不思議な呪文《じゅもん》の話をしようか。

その呪文は大層優れたもので、唱えれば目の病を治すのだそうな。今でもこの世にたった一人、それを知っている者がいるという。その者はこの箱根で……。

ここまで話が進んだ時であった。雲助が何故だかぴたりと、口を閉じ話を止めてしまった。既に一行は山道に入っている。まださほど山を登った訳ではないが、道の両側は、びっしりと木々が並んでいた。夜目《よめ》では何の木かも分からないが、梢《こずえ》は太く、ただでさえ雲に隠れがちな月の光を更に遮《さえぎ》っている。だが雲助は夜目が利《き》くらしく、ちらちらと脇《わき》の林の中を見ていた。

ぞくりとして、若だんなも林の方を見る。

(何か……いる!)

それは、何とはなしに人の良さを感じる人さらい達とは、別種の恐ろしさを持っていた。山駕籠《やまかご》の中で若だんなは、思わず身を固くする。だがそのとき、気がついたこともあった。

(この感じは……もしかして)

「おいっ、来るぞっ」

新龍が鋭く短い声を出した。駕籠が下ろされる。雲助は皆緊張した様子で、木立の方に視線を投げている。若だんなの横にいる侍が頷《うなず》いて、さっと刀の鯉口《こいぐち》を切った。

「夜盗か?」

開けた場所の街道でも、夜道の旅は危ないものであった。夜は明かりといえば、月光か提灯《ちょうちん》だけが頼りなのだ。ましてやここは人目に付きにくい山の中だ。さっそく一行に目を付けた者がいるのかもしれない。

その時! 林から何かが一行に突っ込んできた。僅《わず》かに月光を撥《は》ね返す金物の光が目に入る。

「うわあっ」

若だんなが声をあげたそのとき、侍が刀で撥ね返していた。

「勝之《かつの》進《しん》、大丈夫か？」

新龍が思わず口にした言葉に、若だんなの横にいる侍が頷いている。思いきり早く打っている心の臓をおさえつつ、思わず雲助を見た。

（へえ……人さらいの名が片方分かったね）

名を知ったのは収穫であったが、喜んではいられない。林の中に更に幾つもの気配がある。若だんな達の一行は取り囲まれていた。

（あ……やっぱり）

不意に若だんなには、視線の先にいるのがどういう者なのか分かった。若だんなが慣れ親しんだ気配がある。つまり……妖がそこにいるのに違いなかった！

（多いな）

祖母の血を引くおかげで妖が見える若だんなは、妖を恐ろしいと思ったことはほとんどない。しかし目の前に集まっている者達からは、怒気が滲《にじ》み出ているように思えた。

影が動く。その時若だんなの目が、影が身につけている山伏《やまぶし》のような装束を捕らえた。兜巾《ときん》を頭に乗せている。袈裟《けさ》に鈴懸《すずかけ》という出《い》で立《た》ちで、錫杖《しやくじよう》を手にしている。おまけに、その身はたまに飛んでいるように見えた。

（何と、天狗！）

先程雲助が、怒らせると怖い天狗がこの地にはいると言っていた。その天狗がどんな考えに突き動かされたのか、空より襲いかかってきたのだ。

（速い！）

若だんなが駕籠の中で伏せた途端《とたん》、侍二人が刀で天狗に応戦した。驚いたことに侍二人は、若だんなと松之助を襲撃から庇ってくれている。

「何者だ、我らの邪魔をするな！」

計画を妨げられたと、怒っているだけかもしれないが、ありがたい。若だんな達では、ろくな反撃も出来ないからだ。まだ屈強な男達が揃《そろ》っている雲助の方が、余程ましであった。見れば彼らは逃げもせず、杖《つえ》や松明《たいまつ》で応戦している。

「何だあ、こいつらの格好……」

天狗の装束が見えたのか、本当に夜盗なのかと驚いている。若だんなの駕籠の上に降り立とうとした天狗を、新龍が杖で叩《たた》き落とした。すると今度は三人が一度に降りてくる。

「いったい何なんだ！　若だんな、あんた狙《ねら》われる覚えでもあるのかい？」

山駕籠の周りで必死に杖を振り回すはめになった新龍が、息を弾ませながら聞いてくる。若だんなが親しいのは、天狗では無く医者だ。思わず否定しようとして……一《ちょ》寸《っと》、言葉に詰まった。

(思いだした。あの夢？)

その言葉を聞いたのは、長崎屋の離れ、若だんなの寝間でであった。夜のことで、やはり地震を感じた時のことであったと思う。

『あいつがいるのがいけない……長崎屋の若だんなは、居ちゃあいけないんだよ。殺してしまおうか。うん、それがいい……きっと、あいつを殺してしまおう……』

あの時、闇《やみ》の中から密《ひそ》やかな声を聞いたのではなかったか？　声の主は決意に満ちていて、確かに若だんなの命を狙っているようであった。

「う、うわっ」

突然駕籠がひっくり返った。若だんなは湿気った土と枯れ葉の上に放り出されてしまう。雲助と侍が、それぞれの天狗と対峙《たいじ》している間に、別の一人に襲われたのだ。急いで身を起こす。戦えぬとあれば、せめて逃げるくらいは己でやらなければならない。

(木の陰にでも身を潜り込ませなきゃあ)

這《は》うように森へ向かおうとした。

しかし。巨大な鷲《わし》ほどもある天狗は、驚くほどに俊敏であった。あっという間に、眼前に降りたってくる。間髪容《い》れず背後にも立たれた。横には駕籠が転がり、反対側では雲助と天狗が争っている。

(これは……どこへ逃げれば良いのやら)

そのとき背後の天狗が杖を振り上げた。

「ひえっ……」

思わず身をかがめた。だが、天狗の一撃は降ってこない。振り向いた。

「兄さん!」

すぐ後ろで、松之助が天狗に組み付いていた。若だんなを庇ってくれたのに違いない。

(でも……無茶だ!)

天狗に力でかなうわけがない。見ている間に松之助は捕まえられ、逆さに吊《つ》られてしまう。思い切り地面に放り投げられた。

「止めてくれっ」

悲鳴を上げ、若だんなは松之助に駆け寄ろうとした。だが足が止まる。二人の間に、天狗《てんぐ》が割って入ってきていた。

天狗の足がずいと近寄ってくる。湿った落ち葉を踏みつける微《かす》かな音がする。土の匂《にお》いが立った。それ程に天狗は目の前に来ていた。

（これじゃあ、もう……）

若だんなは、袖《そで》にいた鳴家をそっと地面に下ろした。一緒に殴られては可哀相《かわいそう》だ。だが鳴家は必死に若だんなの着物にすがって離れない。震えながらも側に留まっている。天狗が若だんなの真正面に来た。手が伸びてくる。

（ひっ……）

その時。

いきなり、天狗が大きく仰《の》け反《ぞ》った。

「えっ？」

驚く若だんなの目の前で、誰かが天狗に組み付き、転がったのだ。枯れ葉が巻き上がった。天狗と一つになって転がってゆく。

「逃げてっ」

声がした。それに押し出されるように、若だんなは慌《あわ》てて木の根本に向かい、駆けだした。とにかく出来ることをしなくてはならない。だがうろに入り込む前に、また別の天狗に前を塞《ふさ》がれてしまう。長い爪《つめ》のある手が伸びてくる！

（今度こそ、駄目か）

思わず身をすくめる。

そのとき、目の前から天狗が吹っ飛び、遥《はる》か遠くに投げ飛ばされた。そして馴染《なじ》みのある声が聞こえてきたのだ。

「やっと天狗に追いついたぞ。もう見失わぬわ」

若だんなは驚いて、恐る恐る後ろを見た。するとそこに、天狗を捕まえ、仁王立ちしている者がいたのだ！

一寸、何も考えられなくなった。ただ……ただ思わず名を呼んでいた。

「佐助っ！」

兄《にい》やは天狗の首根っこを捕まえ、殴り倒していた。若だんなはほっとしたのと、やっと佐助に会えたことで、思わず涙ぐむ。しかし佐助は一歩前に出ると、若だんなに怖い顔を向けてきた。

「若だんな、どうしてこんな刻限に、山中にいるんです？　夜中に寝ていないなんて」

「ここにいる理由だって？　そいつはこっちが佐助に聞きたいことだよ。何で消えちゃったんだよ」

何となくおっかなく感じ、若だんなが恐る恐る言う。闇の中で佐助の両の目が光った。黒目が猫のように細くなっている。

「あの馬鹿《ばか》！　仁吉は、何をやってるんだ、役に立たない」

その悪態が聞こえた途端、幾つもの影が、一斉に佐助に向かって飛びついてきた。

「ひっ」

若だんなの口が勝手に悲鳴を漏らす。

目の前の佐助が天狗の黒い固まりになる。しかし寸《すん》の間《ま》の後、それは一気に弾《はじ》けた。佐助が投げ飛ばしたのだ。酷《ひど》く不機嫌そうな佐助に、天狗が二人、横の木に叩き付けられた。

「ちゃんと食べていますか？　熱は出ていないでしょうね？　それから」

「佐助、上から襲ってきているよ」

「若だんなと話しているってぇのに！」

佐助は更に機嫌を悪くし声を低めた。直《す》ぐに木の枝を足場にして、上へ跳ね飛ぶ。

咄嗟《とっさ》に枝へ飛んで逃げた天狗を空で捕まえ、そのまま地面に落として伸《の》してしまった！

「うわあ……佐助は強いねえ」

その間に若だんなは、とにかくその場を離れ、一生懸命大木の陰に隠れる。それが若だんなに出来る精一杯のこと、しなければならないことであった。佐助が側にきて、直ぐにまた、沢山の小言を降らせた。

「若だんな、旅の前に、早寝早起きと静養を約束しましたよね」

後ろから天狗が打ち掛かってくる。佐助が面倒くさそうに殴って倒した。説教は続く。

「それから何ですか、その格好は。こんな刻限に駕籠に乗るのなら、掻《か》い巻《ま》きぐらいは羽織って下さいな。湯冷めしますよ」

「佐助、今度は右と左から爪が迫っているよ」

右の方が左よりも、寸の間早く素手で倒される。

（おおっ）

若だんなは思わず唸《うな》った。長崎屋の暮らしの中では、見たことのない佐助の雄姿であった。普段はせいぜい、悪戯《いたずら》をした屛風《びょうぶ》のぞきを捕まえる位で、大して力業《ちからわざ》を見せたりしない。だが、妖は妖、長崎屋の他の妖達が言っていた通りであった。仁吉と佐助は、やはり別格に強いのだ。

だが佐助が倒しても、またすぐに別の天狗が寄ってきてしまう。佐助が眉《まゆ》を顰《ひそ》めた。

「若だんな、ちょいと聞いて下さいな」

天狗を見据えたまま、佐助が話し始める。

「向かってくる数が多すぎます。殺すわけにはいかないし……」

大体襲撃してくる者を打ち払おうにも、若だんなが心配で佐助は存分に戦えない。だから一旦《いったん》、この場を離れて欲しいという。佐助が天狗達を追い立て引き離すから、駕籠と護衛と共に、先へ逃れてくれと言うのだ。

「護衛……ねえ」

若だんなは言葉に詰まった。人さらいのことを、佐助は誤解しているようだ。

「どう言ったものかな」

それに他にも、言えないことがある。雲助は箱根宿へ向かうと言っていたが、若だんなはそこがどこかも知らないのだ。

しかし若だんなは松之助だけでなく、雲助達も、それから……あの妙に気の良い人さらいの侍達も、心配ではあった。

（ここでうっかり実は攫《さら》われたなどと言ったら、佐助は怒って皆を助けてくれないかもしれないし）

佐助にとっていつも一に大事なのは、若だんななのだから。そして二や三に大事なことが、無かったりするからだ。

「ここでまた、佐助と別れるの？」

「ええ、仕方ありません」

返事をしながら、佐助がすいと身を低くした。天狗が短い刀を空振りする。佐助がその手を摑《つか》んで、木々の先まで殴り飛ばした。

「私の方を向いてお説教をしているのに、どうしてこんな風に戦えるんだろうねぇ」

呆然《ぼうぜん》とする若だんなに、佐助は天狗の消えた梢《こずえ》の彼方《かなた》を指差した。

「今襲って来ているのは天狗です。若だんなには妖が分かりますね？」

「うん」

「あれの技《わざ》は闇を裂き、木々を震わせる程なのです。あたしでもそう早くには、片づけられない」

佐助にそう言わせるとは、なるほど、あの強力《ごうりき》の雲助がかかわるなと言うはずであった。

（人の力では抗しきれない相手なんだね）

納得した。若だんながここにいては、邪魔になるだけなのだ。だから。

「分かったよ、逃げる。でも佐助はその内、私に追いついておくれだね？」

本当は、どうして急に側からいなくなったのかとか、仁吉の失踪《しっそう》を知らなかったのかとか、色々聞きたいことがあった。しかし真夜中の、闘争の場で口に出来ることは少ない。

「今、箱根宿へ向かってるんだ」

そうとだけ告げると、若だんなは先程取りだした鳴家を一匹、佐助の方へ投げた。直ぐに鳴家は佐助の懐《ふところ》に潜り込む。

「若だんな？」

「箱根宿でどこに泊まるのか、私は知らないんだ。鳴家や、お前はすぐ近くなら、私の所にいる仲間の声を聞き分けられるよね？　箱根宿を連れて回ってもらえば、私の居場所が見つけられるね？」

問われて、佐助の懐から首を出した一匹が頷《うなず》く。そうしている間に、近くで悲鳴が上がった。

「誰の声だろう。佐助！」

若だんなが心配で顔を引きつらせると、佐助が飛ぶように姿を消した。

「仁吉の馬鹿が」

そんな佐助の声が夜の中に残っていた。

3

暗い山の中、黒っぽい影としか見えぬ人の姿が、天狗と崖下《がけした》へ下ってゆく。他の天狗らが地を駆け枝の間を飛んで、それを追う。

山駕籠《やまかご》の周りから急に、天狗が消えた。静けさが訪れる。一行は顔を見合わせた。

「何が起こったんだ？」

若だんなは何と説明しようかと戸惑い、直ぐには口を開けなかった。ほんの一寸《ちょっと》の後、決断を下したのは雲助の新龍であった。

「理由を考えるのも話すのも後だ。とにかく逃げるぞ！」

皆で山道を駆け始める。そして駕籠に乗せられた者の顔ぶれは、塔之沢を出立したときと幾分変わった。

先の駕籠には松之助が、後ろには孫右衛門《まごえもん》という侍が座った。若だんなは松之助の駕籠の横を歩んでいる。先頭をゆく松明《たいまつ》持ちも入れ替わった。こちらは今、何と侍の勝之進が務めていた。

天狗の襲来で怪我人が出たのだ。一番やられたのは、何カ所か切られた侍の孫右衛門であった。天狗に立ち向った松之助は、肩を切られ足を酷く挫《くじ》いている。一番うまく逃げたのは、この地で暮らす者達、雲助らであった。だがそれでも松明持ちが一人、腕をやられた。勝之進が松明をかかげた。

こんな時でなければ侍の勝之進が松明持ちをするなど、考えられぬことだ。しかし怪我人を運ぶ雲助らに、手の空《あ》いた者はいない。若だんなを、箱根宿まで歩かせるだけでも心許《こころもと》ないと松之助がいう。早く山伏姿の夜盗から逃げねばならない今、是非も無かった。

暫《しばら》くは皆無言で道を急いだが、道のはかが行くと、真っ先に落ち着いたらしい雲助達が話し始めた。

「いやあ、怖かったね。あんなに凄《すご》い夜盗に襲われたのは、初めてだ。わっちら雲助を襲うたあねえ」

自らその夜盗になりかねないと言われる雲助だ。その者らがそういうのだから、やはり人並み外れた剣呑《けんのん》な奴らだったに違いない。

「それにしても、危ないところに人が突然現れて……驚いたよ」

真夜中の山の中だ。夜盗に襲われたことより、助けてくれる者が現れたことに驚くと新龍が言う。

「まあ助かったがね」

あの強い男は若だんなと話していたようだが、誰なのかと聞いてくる。この男は、佐助を見ていたのだ。それで話は後で若だんなから聞けると、さっさと皆で逃げることに決めたのだろう。天狗に襲われた直後に、そんな余裕があったのかと、若だんなは目を見張った。

「あれは……うちの手代《てだい》なんですよ。佐助といいます」

共に旅に出たのだが、途中ではぐれたのだ。多分己たちを追ってきたのだと言うと、雲助より駕籠の中の松之助が驚いた顔をした。

「佐助さんが現れたんですか？　箱根の山中に？　攫われていく途中だったのに、よく場所が分かりましたね。で……今、どこにいるんです？」

周りを見ている。しかし一行の人数は、一人も増えてはいない。

「佐助は囮《おとり》になって、あの場に残った。夜盗らを余所《よそ》に引きつけてくれたんだよ。だから私たちは逃げられたんだ」

若だんながそう言いつくろった。それを聞き、松之助は酷く申し訳なさそうな顔をする。

「止める間もなく、佐助がやったことだから」

若だんなの言葉に頷いている。

「佐助さんたちはいつも、とにかく若だんなを大事にしているんですよ」

守るためなら、何だってやるという。

「まあ、その佐助というお人なら、大丈夫じゃないかね。きっと上手《うま》く逃げただろう」

驚くほど強かったしと新龍が言う。その声に面白がるような響きがあった。そこに、先頭を行く勝之進が声を挟んできた。

「ここいらではあんな山伏姿の賊が、よく出るのか？　天狗の面を被《かぶ》っておったぞ」

「面ねえ……」

とにかくあんな奴らは初めてだと、後ろの雲助が言った。この一行には屈強の雲助が五人と、侍が二人加わっていたのだ。いくら夜、山中を旅していたとはいえ、襲ってくる者がいたことに驚いているという。

「さて、さて、さて。一体どういう理由があったんだろうね」

見かけぬし噂《うわさ》も聞かぬ奴らだと、雲助達が首を傾《かし》げている。この地に暮らす彼らにも分からぬのが道理で、あれは仮面を付けた人では無く、正真正銘の妖、天狗であった。慣れぬでこぼこした山道をせっせと歩きながら、若だんなは眉を顰めて考え込む。

(彼らが、あの離れで聞いた声の主なのかしら。私を殺すと言っていた。不思議なのは、そんな企《たくら》みの声が、何で長崎屋の離れで私に聞こえたのかということだね)

狙《ねら》われる理由も、話が聞こえた理由も、とんと分からない。他にも疑問はある。

(松之助兄さんは、佐助がどうして山の中に現れたのか、驚いていた。確かに私を追ってきたというのは、いささか無理な話なんだよね)

投宿する予定だった一の湯に現れたというのなら、まだ分かるのだが。若だんなの居場所を知っていた筈《はず》がない。

(となると……佐助が追ってきたのは、天狗の方ってことだよね)

そうと考えるのが、一番無理が無かった。あいつらが若だんなを襲うと知って、止める為に争っていたのだろうか。佐助はあの天狗達のせいで、船から下りたのか。

(分からない事だらけだ)

佐助に早く戻ってきて欲しいと思う。当人から事情を聞くのが、一番であった。それに、なにしろ心細い。

その時、後ろで鋭い声が上がった。鈍い音もする。皆が歩を止めた。勝之進が松明を掲げ、後ろの駕籠に駆け寄る。明かりが届くと、孫右衛門が駕籠から転げ落ちているのが分かった。

「こいつはいけねえ。孫右衛門さん、大分血が出ているようだ」

新龍が渋い顔つきを浮かべる。とにかく天狗達から逃げるため、ろくに手当もせずに夜道を急いで来たのだ。保《も》たなくなったらしい。若だんなが駆け寄った。

「私が診《み》てみましょう。兄さん、革袋から薬の入った包みを出してくれる？　勝之進さん、松明をもっと近づけておくんなさいな」

医者ではないが、とにかく薬種《やくしゅ》を日々扱っている身であった。ここで手当をするなら若だんなしかいない。

孫右衛門の側により着物を脱がせると、思っていたより酷い怪我が現れた。着物が血を吸って重たい。深手があるのかもしれない。しかも暗くて手元がよく見えなかった。

(医者がいない。傷が深くとも縫う訳にもいかない)

山道でやれることは限られていた。だがありがたかったこともある。心配性の手代達が、袋の中に実にたっぷりと薬を入れていたのだ。

おかげで血止めにも痛み止めにも困らない。晒《さら》しも多くあったので、縫えない分を補うように、しっかりと傷口を縛っておく。ついでに松之助の手当も済ませた。その松之助が、飲み薬を指差す。

「ねえ若だんな。若だんなも薬を飲んでおいて下さいよ。声がさっきから変になってきてますよ。疲れたんじゃありませんか？　熱が出てきたとか」

「兄さんは心配性なんだから。大丈夫だよ」

「夜で分かりにくいですけど、顔色が悪いような。若だんな、私の怪我は大したことありません。替わって駕籠に乗って下さい」

「私は物凄く元気だよ……多分」

兄弟で言い合っていると、側で松明を抱えた勝之進が微《かす》かに笑いだした。そして何と若だんなに、頭を下げてきたのだ。

「……あのぉ」

戸惑っていると、さすがに気恥ずかしいのか、勝之進は苦笑している。

「攫った相手に手当されるとは情けないが……本当に助かった。孫右衛門の怪我を見たときは、一寸どうなるかと思ったよ」

孫右衛門は学問所の先輩で、大事な友なのだという。若だんなは勝之進に笑いかけた。

「孫右衛門さんは、無理をしなければ大丈夫ですよ。それにしてもお二人は、どうにも人さらいには見えませんね」

残った薬をいくらか分け、勝之進に渡しながら言う。勝之進は咳払《せきばら》いをしている。駕籠の中で、孫右衛門が溜息《ためいき》をついた。

「やはり慣れぬ事は上手くいかぬらしい。怪我をした上、攫った相手の御身《おんみ》に助けられていたのでは、恥入るだけだ。これでも命がけのつもりでやった事なのだがな」

その話し方に苦い思いが込められている。何となく己への嘲笑《ちょうしょう》に思えた。益々《ますます》金目当ての人さらいとは思えない。

「一体どうして？　話しちゃくれませんか」

若だんなは思い切って攫った当人達に、その訳を尋ねてみた。

これを聞いて、横から手当を覗《のぞ》き込んでいた雲助達が爆笑する。こんなやり取りをする人さらいと人質は、聞いたことが無いというのだ。

「まあ、話したいのなら止めやしないがね。真夜中の山道で立ち止まっていても、寒いだけだ。箱根宿へと歩きながら、喋《しゃべ》っちゃあどうだい」

誰も異存は無かった。駕籠は再び月下を歩み始めた。そして、勝之進の話が始まる。

4

私は芝垣《しばがき》勝之進という。ある小藩に仕える武士だ。太田孫右衛門とは学問所で共に学んだ仲でな。ああ、これはもう言ったか。

我も孫右衛門も、そう高禄《こうろく》の家の出では無い。そもそも我が藩自体、大して大きくは無いのだ。それでも日々、皆何とかやっておる。まだ若い殿は真面目《まじめ》なお方だ。藩に金が無いのを承知で、質素に暮らしておいでなのだ。良い心がけであろう？

ところが、この『質素』ということが、とんだ裏目に出る時が来てしまったのだ。我らにも殿にも、思いもよらぬ話であった。

諸藩の江戸藩邸には、江戸留守居役《るすいやく》という役職の方がおられるものでな。このお方は定府、つまり常に江戸におわす。幕府と藩の公的な連絡を受け持ち、他藩の留守居役とも連絡をつけるのがお役目だ。

この世に大名が恐れるものがある。『御手伝《おてつだ》い』と称される土木工事や饗応《きようおう》役だ。いや、最悪は国替えや改易《かいえき》かな。

そういう結果になると、藩には莫大《ばくだい》な負担がかかる。毎日膳《ぜん》のものを質素にして少額ずつ節約した金子《きんす》など、吹っ飛んでしまうわ。

土木工事などは、誰かが受け持たねばならぬものだが、それでも藩の力には大小がある。運悪く小藩が仰《おお》せつかったら、その藩にとっては一大事だ。しかし幕府に睨《にら》まれたのか、二度も仕事が回ってきた気の毒な藩の話も、まま聞く。

それを避ける為に、各藩には留守居役という、接待をする者がいる。接待や進物《しんもつ》をしてでも、後に巨額な出費をしなくて済むよう、働くのだ。要するに、接待をし、幕府の動向を知ろうとするわけだ。だからこそ留守居役は日々の贅沢《ぜいたく》を許されているのだ。

吉原や名の知れた料理屋で遊ぶことにも長《た》けてなければ、務まらぬお役でな。付け届けも上手くこなす者がよろしいとされる。

しかし昨今、この留守居役はどこの藩でも、どうにも派手だと言われていてな。藩の財政が潤沢な所の方が珍しいのに皆、留守居役の交遊費だけは削らぬから目立つのだ。まあちゃんと理由はあるのだがな。

だが我が藩では、殿が口にされるものですら、贅沢は慎まれている。留守居役ばかりが、殿より派手な毎日を送ることは出来なんだ。それでこのところは留守居役も、地味にされていたのだ。

　これが拙《まず》かった。

　つまり当藩の留守居役は、上手くそのお役がこなせなんだのだ。数年前、川の土手を直す事業を当藩が任されることになってな。正直に言えば、余りにも使える金子が少なかったせいで、他藩の接待に負けたのが原因だと言われている。留守居役のせいでは無いのだ。

　決まってしまったお役目はこなさねばならぬ。藩は新たな借金をし、皆ひとかたならぬ苦労の末、何とか工事は終わった。

　ところが。更なる難儀が我が藩に降るかもしれぬという噂が聞こえてきた。また、次なる大枚の必要なお役目が、我が藩に巡ってくるかもしれぬというのだ。普通ならばそんなにしょっちゅう、一つの藩に話が来ることは無いはずなのに！

　前回掛かった金も、まだほとんど返してはおらぬ。次の金を作る当ても無い。このままお役目を頂戴《ちょうだい》しても、やり果《おお》せる金がない。それを借りる当てもない。そうなったら藩がどうなってしまうのか……分からぬのだ。改易か？

　どうしても、今度ばかりは何がなんでも、出費は避けねばならない。だがご老中《ろうじゅう》や町奉行所に献残《けんざん》だといって藩の名物を配るくらいは、どこもやっている。皆困り果てても、打つ手が分からなんだ。

そんなとき、耳寄りな話が聞こえてきてな。接待すべき某氏が、それは朝顔好きな方だというのだ。金子よりも花魁《おいらん》よりも、珍かな朝顔の一鉢が、某氏には効くらしい。何でも、町人、武士など身分の差無く作られている朝顔の花合会《はなあわせかい》で、某氏は大商人たる町人と、好事家《こうずか》で知られる隠居に、評価で負けたというのだ。武士の面目にかけても、何とか花合の番付で、最高位の大関を取りたいと願っているらしい。

これだ。朝顔だ。藩を救ってくれるのは、この一品に違いなかった。我らはとびきりの朝顔を手に入れるべく、噂を頼りに下谷御徒町《したやおかちまち》へと参った。そこには幕府の御徒《おかち》組《ぐみ》組屋敷があり、まとまって朝顔の栽培を内職としている方々がいると聞いたからだ。こういう事態であるから金子をはずみ、きっと珍かな一品を手に入れる気で、江戸家老も直々に向かわれた。

朝顔は並んでいたよ。見事なものであった。しかし花合に出す朝顔は、花売りが売っているようなものでは無く、様々に変化咲きしたものだということを、そこで教えて貰《もら》った。御徒組内にも幾つかは咲いていたが、それは珍奇な形の朝顔であったよ。青い花びらがどれも、裂けたようになっていたのだ。

しかし、事は思うようには進まなんだのだ。御徒組の方によると、今、組で育てているような花では、とてものこと花合で大関などは狙えぬという。

笑いながら言われたよ。『進物にしたいので、花合で上位を狙える品を』と、今までにも無理を言われたことがあると。そんな花を内職で簡単に生み出せるのなら、貧乏はしておらぬそうだ。

しかしお互い武士だ。江戸家老が直々においでだということで、我らの窮状を察して下さったのだろう。御徒組の方が、以前に尾張《おわり》で書かれた、『朝顔明鑑鈔《しょう》』という三冊の本を見せて下さった。御徒組でも日々、良い物を作ろうと努力をされていたのだ。

我らはそれを読んで頭を抱えた。花変態百出という。奇花異品があるという。変化咲きの朝顔には、神世から聞いたこともないような花が出るとあり、さればこそ皆が夢中になるのだろうとあった。

要するに滅多にないものなのだ。急いで藩を救う一品を手に入れねばならぬのに、それがある場所すら分からぬ。御徒組の方も、無い花を下さることは出来ない。我らは黙り込んでしまってな。

そんな時だ。たまたま客として来ていた町人が、先に行われた朝顔花合の番付表を見せてくれてな。その町人は己も花合に出ていて、大関を取った男を知っていた。男が名の知れた大商人であったからだ。

その男が出した朝顔は、並外れていたという。それこそ『神世から聞いたこともない花』であったのだ。贈り物にするというなら、譲ってくれるやもしれぬ。相手は商人ゆえ交渉してみてはどうかと、町人は教えてくれたのだ。

我らは藁《わら》にもすがる思いで、その商人を茶屋に呼び出したよ。ところが朝顔を譲ってくれと申し込むと、あっさりと断られた。その花は既に終わって枯れたという。では種を分けて欲しいと頼み込むと、変わり咲きゆえに種が取れなんだと言うのだ。

種が無いのなら、どうやって次の年に咲かせるのだ？　だが何度頼んでも、商人は無理だとしか言わぬ。多分花合に夢中の趣味人で、珍かな種を人に譲りたくないのに違いない。

仕方なく帰って余所《よそ》で捜したが、どんな会でも間違いなく大関が取れるほどの朝顔は、その大商人が花合に出した花くらいと分かっただけであった。

我らはそこで、決心したのだ。その男から、どうでも朝顔を譲ってもらわねばならない。何をしてでもだ。それでまず男のことを調べた。行いも良く店は繁盛《はんじょう》していて、隙《すき》が無く思えた。だがじきに、ある噂を知ったのだ。

商人は一粒種の息子に、それは甘いという。息子といっても既に、若だんなと呼ばれている歳《とし》なのだそうだが、とにかく本当に大切にしているのだそうな。近所で聞くと、その若だんなを甘やかすこと物凄く、お江戸を丸ごと砂糖漬けにするがごときだという。この言われようには驚いた。

これだと思ったのだ。この一人息子と交換ということならば、大商人は嫌々でも、朝顔を譲るに違いない。我らは息子を町で攫《さら》う計画を立てた。

ところがだ。その息子ときたら店から出てこない。大店《おおだな》の箱入り娘よりも、外に出ないのだ。なんでも体が弱いという話であった。どうしたらよいのか、また行き詰まってしまった。

そんなとき、神が我々を救って下さった。出入りの商人が、この息子が箱根へ湯治《とうじ》に行くという話を聞き込んだのだ。そこを狙《ねら》おうという話になったのだ。

息子は金にあかせ、小田原まで船でゆくという。その間では攫えない。我らは仲間を集《つど》い、小田原から箱根にかけて、この一人息子を捕らえるべく用意をした。船の入る湊《みなと》に見張りを立て、居場所を突き止めたのだ。そして今夜、意を決し一の湯へ乗り込んだのだ。

まさか長崎屋の息子が、二人いるとは思わなんだ。おかげで少々手間取って、妙な対応をしてしまったな。

芝垣勝之進は、話をそう締めくくった。

5

駕籠《かご》にいる松之助と若だんなが、揃《そろ》って驚きの声を上げる。

「朝顔の為？」

「そんなもののために……」

言いかけて若だんなは、言葉を飲み込んだ。勝之進も孫右衛門も、大真面目で真剣。藩の存亡をかけてやったことなのだ。

「長崎屋にそんな大層な朝顔が、ありましたっけね？」

松之助が首を傾《かし》げている。若だんなが咳《せ》き込むように苦笑をする。父の藤兵衛《とうべえ》が花合に持っていったというのなら、母屋《おもや》の端に置いてある鉢の、どれかのことだろう。

「えっ？　あの襤褸《ぼろ》切れみたいにあちこち切れていて、おまけに変に重なって、花だか何だか分からないもの……朝顔だったんですか？」

松之助のこれ以上ないというほど正直な感想に、駕籠を担《かつ》ぐ雲助達が笑いこけた。

好事家の好む究極の一品なぞ、並に暮らす者達の眼から見れば、何で高いのか訳の分からぬ物かもしれない。

「でもおとっつぁんは、嘘《うそ》は言っていないですよ。けほっ、花合で大関になった朝顔は、もうずっと前に枯れてしまった」

長崎屋で一に凄い変化咲きは、藤兵衛が大青林風南天縮緬《ちりめん》葉台咲孔雀《くじゃく》八重と名付けた一鉢だ。その朝顔は花数が少なく、花合の後は、ずっと咲かないでいた。若だんなが旅に出る前、寝付いている間に最後の一輪が咲いたが、それを最後に根から枯れた。

「一旦《いったん》御身らを攫っておいて、虫がよいと思われるだろうが……頼む、その種を譲って貰えぬだろうか」

そうしたら初物の野菜を栽培するやり方で、鉢を暖かい場所に置き、朝顔が早く育つようにしてみるという。しかし勝之進の申し出を聞いた若だんなは、歩きつつ首を振った。

「おとっつぁんが種は無いと、けほっ、言ったのは、意地悪じゃあないんですよ。変化咲きの朝顔からは、種が採りにくいんです」

ことに凄いばかりに変化した花からは、採れない事が多かった。大青林風南天縮緬葉台咲孔雀八重も、種を付けなかったのだ。

おまけにもし種が採れたとして、それを播《ま》いたからといって、同じ変化咲きの花が咲くという保証は無い。それが変化朝顔なのだ。

「ではどうやって次の世代の花を残すのだ？」

「うちじゃ変化咲きの朝顔の種を付けた、親の朝顔の種を継いでいます。そちらは子供の代に変化咲きを生みはするが、種が採れるくらいには普通の花です。その種を沢山取っておいて播く。生えてきた苗の中から、見込みのありそうなものを残して育てるんです。一部に、面白い花が咲くという訳です」

「一部って……じゃあ、じゃあ、確実に凄い変化咲きが出る種は、無いのか？」

「ありません……へ、くしゅっ」

変化ものといっても、割と単純な系統なら、数本の苗の内、一本くらいは変化が出る。しかし例えば、渦を巻いた糸の固まりのような変化に富んだものになると、数十本の苗を育てても、一本出るか出ないかという話となる。その上咲いた花が、花合の会でどう評価されるかは、また別の話となるのだ。

そして勝之進の藩を救うほどの朝顔となると、お手軽に咲く花では駄目なのだ。それでは進物にならない。某氏の眼を奪い、心から欲しいと思って貰う花でなくてはならないのだ。若だんなは黙り込んでしまった二人の侍に、気の毒そうな眼を向けた。

「うちには、変化咲きを咲かせてきた親朝顔の種が、何種類かあります。だからそれで良かったら……けほっ、げほっ、差し上げますよ。でもあんまり悠長に構えている余裕はないんですよね？」

そもそも朝顔栽培などしている間に、避けがたい『御手伝い』が幕府から藩に降ってきてしまったら、それまでだ。

「全く！　咲くか咲かないか分からない朝顔に、藩の将来を賭《か》けるしかないのか……」

孫右衛門が駕籠の中で血の滲《にじ》む晒《さら》しを押さえつつ、震える声を漏らしている。若だんながその姿を見て、眉尻《まゆじり》を下げた。

（何とかならないかねえ。見越《みこし》の入道様に、また珍かな朝顔の種を頂けぬか、頼んでみようか）

先に見事な変化咲きの花を咲かせたのは、入道の土産《みやげ》の種であった。もしもう一つ種を頂けたら、また素晴らしい変化朝顔が咲くかもしれない。

（でも、この考えにも拙いところがあるよね。見越の入道様にどうやってお会いしたらいいか、私には分からないんだもの）

神たる荼枳尼天《だきにてん》の庭にも出入りしているらしい大物の妖は、気が向いたときに、皮衣《かわごろも》の孫である若だんなの様子を見に来る。こちらから連絡をつけたことは無かった。

しかも今回種を欲しがっているのは、若だんな自身ではない。神の庭の代物《しろもの》を、かかわりのない人に下さるかどうか……若だんなには確信がなかった。

そのとき足が苔《こけ》で滑った。考えにふけっていたせいだ。転びそうになり、つんのめる。

「げほっ……こほっ……」

途端に咳が出た。何となくさっきから、止まらなくなってきていたのだ。兄が心配するから、出すまいと思うのだが、口から飛び出してしまう。思わず立ち止まって膝《ひざ》に手を置き、夜道と向き合っていた。

気がつくと夜の山道は、石畳《いしだたみ》に変わっている。周りを木が覆《おお》い被《かぶ》さるように囲んでいる中、二間《にけん》ほどある山道の内、一間ほどの幅に石が敷かれているのだ。月光の下、その道がずっと登りになっているのが見て取れた。

（こりゃあ、きついはずだ）

石畳といっても、城の石垣のような平らな石が、小径《こみち》に敷き詰められているのでは無い。枯れ葉や小枝や小石の中に、苔を生やした形の揃わぬ大小の石が、詰めて置かれているという見てくれであった。

「気をつけなよ。石畳の上に湿った落ち葉があると、かなり滑る」

雲助の新龍が注意してくる。歩き慣れぬ者だと、蹴躓《けつまず》いたり転んだり、箱根の坂では皆、結構難渋をするという。

「しかしこれでも昔より、ぐっとましになったという話だ。石畳が敷かれる前は、雨が降ると膝まで泥に浸《つ》かったところもあったらしい。その泥の上に竹を敷いて歩いていたんだが、その竹を用意するのがまた、この箱根の衆には難儀だったようだ」

説明しながらも、新龍はちらちらと若だんなに眼を向けてくる。どうやら先程から歩がふらふらとしているのが、気に掛かるらしい。

「おいおい、気分でも悪いのかい？　怪我人《けがにん》で駕籠は一杯だ。ここで倒れないでくれよ」

「大丈夫……勿論《もちろん》、大丈夫ですってば」

「若だんな、具合が悪いんですか！」

いそいでまた、駕籠から下りようとする松之助の肩を、若だんなは笑って押さえた。ちゃんと頑張って歩くつもりだ。ここで倒れたら、皆の迷惑になる。そんなことは出来なかった。

(どうしたのかな。たとえ少々先程から頭が、ぼうっとしていても。

この旅じゃあ色々あったから。ちょっと疲れたかな)

まず二人の手代、仁吉と佐助がいなくなって、心配で胃の腑《ふ》が痛くなった。小田原では、着いた早々荷物を取られそうになった。次に宿で人さらいに遭《あ》い、更に天狗《てんぐ》とも遭遇した。

夢か芝居の中の出来事のように、次々と常にないことが起こっていく。まるで誰かが、若だんなが箱根に来たのを嫌がっているかのようであった。

おかげで今はかなり疲れていた……口には決して出すまいと思うが、足は重たい。頭はふらつく。

(箱根には……養生に来たはずだけど)

笑えてきた。まだ湯にも入っていないし、真夜中、山道を駕籠にも乗らずに歩いている。しかもかなり寒かった。これではどう考えても、養生にはなっていない気がする。

(やれやれ。孫右衛門さんに羽織を取ってきてもらったのに、それでも寒いなんて)

雲助達は、足は脚絆《きゃはん》を巻いただけ。着物にいたっては、短いものを一枚、腰紐《こしひも》一本で縛っているだけだ。本当に見ているだけで寒そうな出《い》で立《た》ちなのに、震えて咳き込んでいるのは、若だんなの方なのだから情けない。

(私は……大丈夫だ。きっと箱根宿まで、歩き通してみせる)

大体こんなところで弱音を吐いたら、怪我人である松之助が、きっと大層心配する。歩けぬほど酷《ひど》く足をやられているのに、若だんなを駕籠に乗せると言うに違いなかった。だからしゃんとして、歩かなければならない。

（しかし箱根の山道っていうのは、結構な難所だよね）

若だんななら昼間通っても、音《ね》をあげたかもしれない。

（大丈夫、大丈夫、きっと大丈夫……）

そう思い始めると、だんだん頭の中で、この言葉が繰り返されてくる。一歩ごとに足が重くなってきているのは、石畳が滑りやすいせいであろうか。

（きっと……大丈夫！）

己に言い聞かせ、道の端でぐっと足を踏ん張ったその時、若だんなは思わずよろけて、道の端の木に手をついた。立ち止まり右の崖《がけ》を見つめ、一息つく。そのとき思わず息を呑《の》んだ。

道脇《みちわき》の坂は急で深かった。箱根の山道は、すぐ脇が切り立った崖になっているところも多い。かなりの勾配《こうばい》で、落ちたら枯れ木の枝に刺さって大怪我をするか、下まで落ちて身を打つか。どちらにせよ、とんでもない目にあいそうだ。

夜の中で見ると、底がないみたいに見える。ただ一面の黒であった。その闇《やみ》の中から木立がいきなり突き出ているように見える。

そのとき、若だんなは目を見開いた。見つめていた崖下の木立の中……この深い夜の山の中に、誰かいたのだ。

（天狗か？）

　思わず身構えたが……違う。どう見てもそれは、女の子であった。髪が凄く長い。怖がる素振りもなく夜の中を歩いている。

「本当に……色々信じられぬことが起こる旅だよ。だけど……」

　ふと気がついた。

（もしかして、ここで起こっていることは皆、関係があるのだろうか）

　長崎屋に居るとき聞こえてきたのは、天狗の声だけでは無かった。確か、女の子の泣き声もしていた筈《はず》だ。

（まさかあの声の主は……）

　その時、駕籠を担いで先を行く新龍が、こちらへ眼を向けてきた。

「若だんな、そんなに端に寄ると、よろけた拍子に崖から落ちるよ」

　しかし若だんなは、女の子の桜色の振袖《ふりそで》から目が離せなかった。裕福げで、とてものこと真夜中の山中で出会うような相手には見えない。

（何かに化かされているのかな。だけど妖には見えないんだが……）

妖ならば、若だんなには分かるはずであった。

(あの子は違う)

もし本当に夜の山中で、子供一人迷子になっているのなら、助けなくてはならない。しかし今の若だんなには、天狗もこの女の子も、同じように怖かった。

その時、子供が立ち止まった。こちらを向いたように思えた。若だんなを見つめている。

「若だんな、どうしたんだい?」

二挺《ちょう》目の駕籠の雲助が、声をかけながら後ろを過ぎてゆく。それでも若だんなは、子供から目が離せなかった。

女の子がしゃがんで、足元から何か拾う。その手を構えると、突然若だんなの方へ何かを投げるような格好をしたのだ。

鳴家達が団栗《どんぐり》を投げっこしているのと、そっくりな格好であった。こんな山中のことだから、女の子が拾ったのも、小石などでは無く、団栗なのかもしれない。

(それを、何で私にぶつけるんだ?)

崖下から投げられたゆえに、勿論若だんなには届かない。それでも驚いたことには変わりはなかった。初めて来た国で遭ったこともない女の子から、いきなり嫌われたのだ。女の子は、また歩き出した。姿が山の中に消える。

そして。

このとき更なる大きな驚きが、若だんなを包んでいた。崖下に木立の奥から人が現れた。女の子を捜すように、辺りを見回している。

(ああ、あの子は一人じゃ無かった)

寸の間、安心した。だが直ぐに目を見開く。遠目で、しかも暗くて、その上月の光も木々に遮られがちではあった。しかし、若だんなには崖下に現れた者が誰だか、分かったのだ。

「仁吉……!」

旅の途中、突然消えた若だんなの兄や。今までどこにいたというのだろう。どうしてこんな山中にいるのだ。何故《なぜ》……何故、一緒にいるのが若だんなでは無く、小さな女の子なのだろうか。

何故に佐助も仁吉も突然消えたあげく、箱根の山中で出会うのだ?

「仁吉っ」

若だんなは思わず大きな声を出し、仁吉の方へ身を乗り出していた。ずるり、と、足元の土が滑る。

「えっ」

短い声を出したときには、体ごとつんのめっていた。

「若だんなっ」

背後から悲鳴を聞いた気がした。若だんなの体は、そのまま暗い底へと転がり落ちていった。

三　芦ノ湖

1

（これは夢なんだよねぇ？）

きっと……そうだ。そうに違いなかった。若だんなは、歯を食いしばっていた。

（そうでなきゃ、こんな事になるわけがない）

数名の男達に捕まって縛り上げられ、地べたに転がされているのだ。男達は、どうにも少しばかり変わった格好をした一団だ。農民だろうか、寒いのに麻のような地の着物を着ている。皆筒袖《つつそで》であった。

そして辺りに、剣呑《けんのん》な気配を漂わせていた。

縄が食い込んで体が痛い。若だんなは震えている。夢だからか、地震が起こっているのか、地面まで揺れているように思えて気持ちが悪かった。

若だんなを捕まえている男達は痩《や》せていて、皆何となく疲れているようで、ただの物取りには見えなかった。ならば若だんなに恨みを持つ者かとも思ったが、それもおかしな話だ。

何故《なぜ》なら若だんなは生まれた時から、それはもう虚弱で、律儀《りちぎ》にこまめに死にかけていて忙しい。寝てばかりだから、人様から恨まれるほどの事をした覚えは、とんと無かった。

誰ぞが若だんなを殺そうと画策している間に、風邪でも拾って、あっさりあの世に行きかねないくらいなのだ。若だんなのことを知る者は皆、それくらい心得ている筈《はず》であった。

なのに今、またもや見知らぬ者に囚《とら》われているのだ。

(ああ、訳が分からない。それに一体ここはどこなんだろうか)

顔を右に向けると、幾重《いくえ》にもなった深い緑の山が目に入った。若だんなと男達の他、人気がないせいか、その景色は物寂しい。微《かす》かに水音がしたので、身を動かし後ろを見てみれば、そこには若だんなが見たことのないほど、大きな湖が広がっていた。ここは湖畔であったのだ。

(風が冷たいわけだ。こんな大きな湖は初めて見たよ)

大きな船が何艘《なんそう》も楽に浮かべられる程の、湖面の広さであった。やや細長い形をしているらしく、先の方でその姿を山陰に隠している。水面《みなも》を渡る風に、さざ波が立っていた。

（私は確か……夜、山道を歩いてたんじゃなかったっけ？）

なのに今は昼時の明るさであった。

（やっぱりこれはただの夢だ。きっとそうだよ）

だが何度そう思っても、一向に目が覚めてくれない。それに先程から感じる、粟肌《あわはだ》が立つような緊迫感は何なのだろう。若だんなの横に立つ男達は、皆酷《ひど》く怖い顔つきをしていた。

その上気味が悪いことに、近くの湖畔に妙な幾つかの品物が置いてあった。樽《たる》が大小見える。お祓《はら》いを行うときに使う、八角の白木棒に紙垂《かみしで》を付けた祓串《はらえぐし》もあった。

（あんなもので、何をする気なのかね）

神社ならばともかく、寂しい場所にぽつんと置かれた祓串を見ても、どうにも敬いの気持ちがおきない。おまけに不安をかき立てる事の一つとして、仁吉と佐助が若だんなの近くにいなかった。

今、何をしているのだろうか。こんなに心細くて頭を抱えているのに、側《そば》にいないのだから。

（薬を飲ませようとする時には、ちゃんといるのにさ！）

不思議なことには鳴家《やなり》まで、袖の中から消えていた。鳴家たちまで捕まったのではないのは、ほっとする。しかし若だんなが独りぼっちで、より心細いことには違いなかった。

そっと男達を見る。

（私を捕まえて、身代金《みのしろきん》でも奪うつもりかね）

それが一番真っ当な考えだと思う。だがそれにしては、男達の顔つきが剣呑であった。確かに昨今、人の欲は単純では無くなってきている。

（この男達は何が欲しいんだろう）

男達は薄ら寒い風が吹く中、ひたすら湖の対岸へ目をやっている。その時、一番年かさの男が口を開けた。

「ああ、これでぇ……龍神様《りゅうじんさま》が日照りや大雨を、終わらせてくだされればええがの。なあ、なあ」

すると、他の者達も話しだす。

「ここまでするんだからな。そうなってくれねえと、村はもう限界だわ」

「蕎麦《そば》が残り少ないでな」

「そろそろ稗《ひえ》や粟ですら尽きそうだ」

交わされる話には、不安と疲れが満ちている。皆の痩身《そうしん》が、余程切羽詰まっていることを、若だんなに示していた。

(龍神様？　日照りや大雨？　神へ豊作祈願を、捧《ささ》げようとしているところかな？)

確かに祓串はあった。

(だがそれなら何で、私が縛られなくっちゃならないんだ？)

低い声が続く。

「とにかく雨は龍神様のご機嫌次第だ。われらの気持ちを汲《く》んで下さればよいが」

「そう願うわさ。お比女《ひめ》を……山の神の子だと噂《うわさ》の娘を、人柱として捧げるんだから」

(人柱？　お比女？)

そのとき、目の端に入った己《おのれ》の着物の柄を見て、若だんなは思わず小さく声を上げた。男達の方ばかりに目が行っていて気がつかなかった。それは着ていたはずの縞柄《しまがら》では無かったのだ。

紅《くれない》の花が散った、女の子が晴れの日に着るような、綺麗《きれい》な着物であった。その上、やや短い裾《すそ》から出ている足が、大層細い。まるで……着物を着ている主《ぬし》は若だんなでは無く、まだ小さな子供のようであった。

(……なんてことだ!)

分かった。やはりこれはうつつの事では無かったのだ!

そして若だんなが見ている夢でも無い。小さな女の子、お比女と呼ばれている子供に起こっていることなのだ! その子は人柱にされようとしている。それを、何故だかお比女の目を通して若だんなが見ているらしい。

ここで若だんなは、はっとし、また袱串を見る。

(これはあの話だよ。雲助《くもすけ》の新龍《しんたつ》さんがしていた、昔話だ!)

山道を駕籠《かご》に揺られながら、聞いたではないか。昔々箱根では、龍神の災いを鎮《しず》めるため、人柱とされた女の子がいたという。

(確か村人が、山神の娘だとされた子を人柱にしようとして、父神の怒りを買ったという話だったね)

若だんなは、思わず男達の変わった服装を見直した。馴染《なじ》みの無い形の着物なのは、ここが大層昔だからなのだろうか。

(この子が山神の子なのかしら)

そうであれば、話が頭の中で繋《つな》がる。

(でもどうして……そんな古《いにしえ》のことを、私が今、夢に見ているんだろう？)

驚きはしたが、慌《あわ》てた訳では無かった。若だんなは祖母が大妖《たいよう》であるおかげで、今までにも様々な不思議と縁《えにし》があった。

(とにかく私自身が、男達に捕まっている訳じゃあ無さそうだね)

一つ息をつく。これならうつつの己が殺されることも無いだろう。

(助かったと言うべきなのかな)

しかし。

同じ光景を見ているせいか、若だんなには山神の子、お比女の気持ちが押し寄せてきていた。悲しいのも怖いのも、若だんなは一緒に感じている気がする。二人なのに思うことは、まさに一つであった。恐怖も、だ。

(怖い。震えが止まらない)

人柱を捧げる儀式が始まろうとしている。若だんなは眉《まゆ》をしかめた。

(お比女ちゃんが危ないよ)

近くにある石にお比女をくくりつけ、湖に沈める気かもしれない。いや大きな方の樽に入れ、水の中に投げ入れるということもあり得た。

ぞくりと身が震える。怖い、怖い、怖くてたまらない！　なのに若だんなはどうしていのか分からない。お比女はまだろくな抵抗も出来ないほどに小さいのだ。

(これは……あんまりだよ)

それに！

昔語りの通りだとしたら、ここは芦ノ湖のはずだ。そして女の子が人柱とされたとき、この湖は厄災に見舞われたはずであった。山神が娘への虐待《ぎゃくたい》に怒り、山を爆発させたと聞いている。このままでは、芦ノ湖が半分埋まってしまうほどの災いがこの地を襲う！

そのとき、男の一人が眉を顰《ひそ》めた。

「あの、今更な話だが……お比女を人柱にして、大丈夫かね」

寸《すん》の間《ま》、湖畔で声が途切れた。眉間《みけん》に皺《しわ》を刻み、男達が顔を寄せた。

「今ごろ何をいうか。お比女を助けたいとな？　じゃあお前さんの孫でも、人柱に差し出すか？」

「……皆、己の身内は出したくないわな。だから結局人柱は、余所《よそ》にやっかいになっていたお比女に決まったんだ」

しかし。言いだしっぺの男は、溜息《ためいき》と共にお比女を見た。

「親がいないと……哀れだな」

その言葉に、男達が目を逸《そ》らす。お比女が幼い顔を上げるのが分かった。小さな希望が胸に湧《わ》いてきているのを、若だんなは感じる。誰かが……やっぱりこんな惨《むご》いことは止めようと、そう言ってくれはしないかと思ったのだ。

（その言葉が欲しい、欲しい、お願いだから、誰か口にしてくれないか）

お比女は、心《しん》の臓《ぞう》が止まりそうなほどに怖がっていることを、分かって欲しがっていた。まだ本当に小さいのだ。頼むから、後生だから見捨てないでと、必死に祈っている。

しかし……誰も何も、一言も言わない。湖畔にいる者が、お比女を助けようとすることは、いつまで待ってもなかったのだ。

（最初に庇《かば》った者が貧乏くじを引くからか？）

誰もが、責任を取らされるのは嫌なのだ。たとえ山神の怒りを買うかもしれないと思っても、皆その不安からは器用に目を逸らせている。

（ここでは……飢饉《ききん》でもあったのだろうか）

男らの痩せこけた体を見る。胸が痛くなってきた。日照りが続いたのだろう。水害にも襲われたのだ。じきに食べるものが底をつく。村には子供や年老いた父母もいる。病人も出ているかもしれない。誰もがお比女のことより大事なことを、大切にしている人を持っているようであった。

同じ村の者だ。暇なとき、余裕があるときはお比女にも笑いかけようし、村で養い家族のようにも扱ってくれる。しかしそれは、どんな時でもという訳ではなかったのだ。お比女は、何かあったとき真っ先に切って捨てられる、蜥蜴《とかげ》の尻尾《しっぽ》であった。

涙が溢《あふ》れてきた。お比女が泣いているのだろうか。それとも若だんなか。

(このままじゃ、湖に放り込まれるだけだ)

お比女の為《ため》に何か出来る者は、お比女自身だけのようだった。

(私は力を貸せるかな?)

試しに若だんなは男達に話をしてみることにした。少なくともこのまま大人しくしていては駄目《だめ》だ！

口を開く。若だんなは想《おも》いを幼い女の子の声で語った。

「や、止めた方がいい！　龍神が怖いの？　でもお比女を人柱にしたら、山神様がお怒りになるよ。山神様の怒りは、それは恐ろしいものなんだから！」

必死に言いつのる。男達は、一寸《ちょっと》びくりと身を震わせた。だがわざとなのか、お比女の方を向かない。まるで声が耳に届いていないようであった。若だんなは唇を嚙《か》んだ。

(村人達は、目の前の恐怖しか見えなくなっているんだね)

どうしても、今すぐ出来ることにすがりたいのだ。だから龍神より更に大きな山神の怒りが、思い浮かばない。いや、そんなことを考える余裕すらないのかもしれない。

(この人達には、今は龍神だけで手一杯なのか……)

人柱を捧げれば、全《すべ》てが上手《うま》くいくと思いたいに違いない。そうあって欲しいのだ。せっかく思いついた村を救う手段を、止めたくはないのだ。

(そして結果、山神の怒りは爆発し、今、芦ノ湖は半分埋まっている……)

近くにあっただろうこの者達の村は、その時どうなったのか。若だんなは何も出来ないもどかしさを感じて、下を向いてしまう。

(これは……雲助から昔語りだと聞いたほどに、遠い古の話なんだ。今更、何も変えられないのかも……)

どうにも手の打ちようがない。顔を強《こわ》ばらせているうちに、男の一人がお比女を担《かつ》ぎ上げた。

「駄目だ、駄目だよっ」

若だんなは叫んだ。わめいた。だが大人達はしっかりと着物を掴《つか》んで歩いてゆく。涙が目から溢れてくる。もう何も、誰も己を救ってはくれないのだと、お比女が分かってしまっているようで……つらい。

「嫌だっ」

それはお比女の声だろうか、若だんなの思いだろうか。

(怖い怖い……怖い！　大人が子供にこんな事して、平気なんて信じられない)

男の手に噛みついた。だが男はそれを苦にもせず、そのまま歩いてゆく。

(どうしてこの子だけ、お比女ちゃんだけ、こんなに人との縁が薄いんだろう)

そんなだから人柱に選ばれてしまった。庇ってくれるはずの大人が、お比女を捕まえている。誰もそれを止めない。きっとお比女のことなど直《す》ぐに忘れられるから。お比女を何とか助けようとするより、放っておく方が、皆、楽なのだ。

(怖い怖いこわいこわい、こっ、こっ、こわっ……)

頭に声が響き続ける。つらくて、ふらふらしてきた。また地が揺れているのかもしれない。

(どうして……！)

あっと思ったときには、樽に放り込まれていた。蓋《ふた》が塞《ふさ》がれる。暗い！　何も見えなくなった。

(ひいーっ、い、い、い、い……)

辺り全てが悲鳴に包まれた気がした。途端、ふわっと浮き上がった。直ぐに頭が下になる。

（えっ）

思い切り体が打ち付けられた。息が出来ない！

（ここは水の中？　沈められたの？）

余りの恐ろしさにか、悲鳴が止まらない。その内喉《のど》が嗄《か》れて咳《せ》き込む。涙がこぼれ落ちている。樽は沈んでゆく。捧げものの赤飯を入れた櫃《ひつ》が、浮かんできたことが無いという、その湖の底に引き込まれてゆく。音が遠のく。

その時急に、暗かった樽の中にまで、白い光が見えた気がした。

（何？）

それが最後に感じたことであった。若だんなの目の前は、直ぐに真っ暗となる。

後は憶《おぼ》えていなかった。

2

（最近本当に地震が多いね）

また揺れたような気がして、若だんなは寝床で薄く目を開けた。すると、いつもの顔が直ぐ側にあった。

「良かった、若だんな、気がついたんですか」

その言葉に何となくほっとして、また目を閉じる。

(ああ、仁吉だ)

今朝は随分と心配げな顔で、若だんなを覗《のぞ》き込んでいた。どうしたのだろうか。

(はて、私は薬でも飲み忘れたっけか)

それとも急に、半鐘《はんしょう》の音でも聞こえたのだろうか。火事となると、ゆっくりと離れで寝てもいられず、佐助に担ぎ出されてしまう。くたびれることだと思う。

「とても疲れているんだけど。仁吉、もう少し寝かせておいておくれな」

目を閉じたままで言う。何故《なぜ》だかまだ起きたくない。あと百年くらい寝ていたいのだ。いつもは早く床《とこ》から出たいと思うのに、こんな事を言うなんて己でも珍しいと思う。だが不思議なほどに足腰が重かった。

(まさかまた、熱でも出たのかな)

だとしたら、暫《しばら》く離れで寝つくことになる。またかとげんなりしていると、仁吉の溜息が聞こえた。小さな声がしている。

「若だんな、崖《がけ》から転がり落ちたりするから、手も足も怪我《けが》だらけですよ！　おまけに熱が高いなんて。箱根には養生しにおいでになったのに、なんてことだ」

「ん？……箱根？」

驚いて目を開ける。一寸事情が飲み込めなかった。

すぐ前に自在鉤《じざいかぎ》があったのだ。体の右側に囲炉裏《いろり》が切ってある。そこに薬缶《やかん》がかかっており、立ち上る湯気が僅《わず》かに見えた。若だんなは見たことのない板間に、寝かされていたのだ。

「ここは……どこなのかな」

すっかり目が覚めた顔で身を起こす。すると、頭が痛い。咳が出る。涙まで出てくる。体の節々がきしんだ。仁吉が慌てて肩掛けを取りだし、若だんなに巻き付けた。

「屋根の梁《はり》がむき出しだね」

この建物は茅葺《かやぶ》き屋根らしい。戸は閉められており、囲炉裏の火の明かりが僅かにあるばかりで薄暗い。それでも室内は暖かかった。

「私は夢を見ていたのか……」

古の出来事を垣間見《かいまみ》た気がする。いつの間に寝たのか憶えていない。確か、夜の山道を歩いていたはずだったのだが。

(そうだよ、箱根へ湯治《とうじ》に来たのに、塔之沢で人さらいにあって……それから箱根宿への道を、ずっと辿《たど》ってた)

だんだんと、昨夜のことを思いだしてくる。佐助にも出会った筈《はず》だ。そのときふと、何故にこの家を憶えていないのか、訳を思いついた。

(私は気を失ったのかな)

確か夜中、道脇《みちわき》の、崖のように急な斜面の下に、仁吉の顔を見つけたのだ。捜していた兄《にい》やがいた！　思わず身を乗り出したら、ごろごろと下に転げ落ちてしまった……。

「そうだ、仁吉だよ！　今までどこにいたんだよ」

若だんなは咄嗟《とっさ》に仁吉の着物を掴むと、正面から向き合った。

「どうしていなくなったんだい？　何故あそこにいたの？」

ふくれ面《つら》で詰め寄ったら咳が出た。でも、あの女の子のこととか、ここにいる皆と話したのかとか、聞きたいことが山のようにあった。会ったら、思い切り文句をいう心づもりでもいた。

「若だんな、皆に聞かれるとちょいとまずい話なんで……」

仁吉が気遣わしげに言い、横を向く。黙った若だんながそちらに目をやると、兄の松之助が直ぐ側で、寝息を立てていた。一緒に山道を歩いていた皆も、側で横になっている。どうやら広い板間に、雑魚寝《ざこね》をしているようであった。

（あ……）

塔之沢からの旅は、天狗《てんぐ》に襲われたりして、くらくらと目眩《めまい》がするような心地のものであった。皆も余程くたびれているのだろう、声がしても誰も起きない。

（ああ、うるさくしちゃ、まずいか）

だが若だんなは、まだ眠たかったが、寝るわけにはいかなかった。とにかく何があり、どういう話であったのか、それが知りたいのだ。仁吉の顔を覗き込む。しきりと袖《そで》を引っ張ると、溜息と小声が返ってきた。

「ここで話しては、皆を起こしてしまいます。でも外に出るのは……若だんな、熱が出てるんですよ」

「それでも話を聞きたいから、外へ行く」

「出歩いたら体に障《さわ》ります」

頑固《がんこ》に頬《ほお》を膨らませても仁吉はうんと言わない。若だんなは取り引きに出た。

「ねえ、外へ出ても良いって言ってくれたら、素直に薬を飲むよ。どうかな」

「これからずっとですか？」

「……湯治の間中」

「分かりました。庭で話しますから、負《お》ぶさって下さい」

言われるまま、仁吉の背に乗る。すると兄やは、若だんなごと羽織を着た。ちょうど赤ん坊をねんねこでくるむような形になり、暖かい。心地よかった。

「寒くありませんか？」

頷《うなず》くと、仁吉は若だんなを負ぶったまま、立てきられた戸口をそっと開け、外に出る。すると既に明け六つが近いのか、空が白み始めていた。

薄明かりの中、目の前に立派な、瓦葺《かわらぶ》きの建物が建ち並んでいるのが分かる。庭に灯籠《とうろう》がいくつも立っていた。柱が並ぶ渡り廊下が目に入る。どうやらどこぞの神社か寺の、境内のようであった。鳴家達が若だんなの羽織から顔を出してきた。物珍しそうに辺りを見た後、さっそく問うた。

「ねえ、なんでいなくなったの？」

「順を追って話しますから」

仁吉がちらりと周りに目をやりつつ、答えた。

「あたしたちがいるのは東光庵薬師堂《とうこうあんやくしどう》といって、熊野権現《くまのごんげん》様の境内にある建物です。ここは箱根の芦ノ湖に近い場所なんですよ」

東光庵薬師堂は、平素は文人墨客《ぶんじんぼっかく》が集まり、句会、茶会などを催す場所であるらしい。

「若だんなを攫《さら》ったあの馬鹿《ばか》侍二人が、用意していた宿です」

どうやら侍達は当初、若だんなを攫った後、ここに連れてきて、長崎屋からの身代《みのしろ》金《きん》代わりの朝顔を待つつもりだったらしい。権現様につてがあり、しばしこの建物を借り切っていたようなのだ。仁吉はゆっくりと境内を歩いている。

「仁吉は皆と一緒に、ここに来たの？」

背中に乗ったままそう聞くと、頷く。昨夜仁吉は、崖を降りて若だんなを捜しに来た雲助らと出会い、合流したのだという。

「ここへ仁吉が大人しくきたの？　お侍達が朝顔を手に入れるのに用意していた場所なんでしょ？　協力するつもりなの？」

「まさか。あの侍達とは、さっさと離れる気だったのですが……実は昨夜若だんなが落ちた後で、少々気になることが起こりましてね」

若だんながまだ崖下にいたとき、不意に夜道を、松明《たいまつ》の明かりが幾つも近づいて来たのだ。近在の村人達数人が現れた。最初は攫われた若だんなを、一の湯のある塔之沢の者が、助けにきたのかと一行は思った。侍達の緊張した声が、崖下まで聞こえてきた。

しかし村の者達は、侍を追っていたのでは無かった。捜していたのは若だんなのようだったという。

「はあ？　私？」

若だんなは首を傾《かし》げる。

「箱根じゃ私は、どうにも大人気のようだね。だけど、今度は何用だったんだい？」

「分かりません。駕籠《かご》にいた松之助さんが若だんなじゃないかと疑われて、随分と色々聞かれたそうですよ。松之助さんも聞き返して、それでどうやら箱根宿の人達と分かった。だがどう聞いても、目的は誰も答えなかったとか。侍には見向きもしなかったということです」

何となく物騒な気がして、誰も若だんなが崖下にいるとは教えなかった。松之助には、人さらいである筈の侍達よりも、心許せぬ相手に見えたらしい。

（たまたま崖から落っこち気を失っていて、助かったというところかね）

宿《しゆく》の者達が持つ松明が遠ざかってから、雲助らが崖下に捜しに来た。その時、仁吉が加わったのだ。

仁吉が山道に現れたのを見て、松之助はまるで幽霊でも見たかのように驚いていたそうだ。だが何しろ己は怪我をしていて、役に立たない状態だ。仁吉が若だんなを背負っているのを見て、ほっとした様子であったらしい。とにかく頼れる者が現れたのだ。

それから道々松之助が、今までの子細の内、船から兄や達が消えたときの騒ぎについて、仁吉に語った。

だが怪我人故《ゆえ》、長く話し込む訳にもいかない。その後のことは、代わりに雲助の新龍が喋《しゃべ》った。雲助達との出会い、人さらいの侍に出くわした一件、天狗の面を被《かぶ》った賊のこと。若だんなが、崖を転げ落ちたと思ったら、宿の者が現れたこと。仁吉は一行の事情を皆、知ったのだ。

それで仁吉が若だんなを攫った侍達のことを言うとき、『馬鹿侍』となったわけだ。

「若だんなの具合が心配だったので、とにかく早く箱根宿へ行きたかったんです。ですが、宿へ入るのは何となく剣呑《けんのん》そうで」

先程、山道に現れた村人達がなんとなく怪しそうで忘れられない。若だんなを捜している訳が知れなかったからだ。村人がどういうつもりなのか分かるまで、仁吉は街道沿いの宿に入りたく無かった。

「それでこの庵《いおり》にきたんだね」

納得はした。だが。

「……ねえ仁吉、まさかあのお侍二人を、引っぱたいたりしちゃあいないよね」

心配する若だんなに、仁吉は少々凄《すご》みのある声で答えた。

「あたしは道中若だんなを負ぶっておりましたから、無茶はしておりませんよ。侍の片方は怪我人ですし」

さもなくば、仁吉は景気よく侍を殴っていたかもしれない。若だんなは仁吉の背で溜息《ためいき》をついてから、羽織の中で仁吉の肩をとんと叩《たた》いた。

「それで？　私が知りたいことを説明しておくれだね？」

つまりどうして仁吉が船からいなくなったのか。これを是非に聞きたい。その話をするために、眠たいのにわざわざ外へ出てきたのだから。

「はいはい」

仁吉はあっさりそう言ったものの……何故だか直《す》ぐには喋り始めない。その代わり黙ったまま、突然さっと歩き始めた。どうしたのかと、首を伸ばし背中越しに前をみる。権現様の境内に、女の子が一人立っていた。その子に近寄ったのだ。

「あ、そういえば昨日の夜、仁吉は独りじゃなかったね」

小さな女の子の側にいたのだ。ここに連れてきたのだろうか。

「仁吉、この子は……」

言いかけ、その面立《おもだ》ちを見て驚いた。

「あれ、知った顔だ」

思わず見つめていると、若だんなの額にこつんと何かがぶつかる。

「痛っ」

女の子が投げたのだ。仁吉が慌《あわ》てた。

「こら駄目ですよ。若だんなは病人なんですから」

またこつんとぶつかる。小さいものだが痛い。鳴家がよく投げっこしている、団栗《どんぐり》のようだ。慌てて若だんなは仁吉の背に、首を引っ込めた。

「比女様、止めて下さい！」

「仁吉、比女様って……まさか」

つぶてを気にしつつも、もう一度背中から顔を出し女の子を見てみる。やはり若だんなは、女の子に見覚えがあった。つい今しがたまで、この子の夢を見ていたのだ。

「この子、あの……」

言いかけ、若だんなは慌てて口をつぐんだ。人柱に似ていると言われても、嬉《うれ》しい者はいないからだ。仁吉は一つ息をつくと、女の子を紹介した。

「この方は、箱根の山神様の御子で、比女様と申されます。姫神様で」

「えっ、じゃあ本当に、あの……」

雲助の新龍が話していた娘なのだ。話に聞いた通り、人柱にされかけたところを父神に助けられたらしい。生きていた。やはり本当に、神の血を引く娘であったのだ。

(これはこれは。妖《あやかし》がいるのなら、神もおわすとは思っていたけど。お会いするのは初めてだね。神の血筋なら、長生きは不思議じゃないが)

だがそれにしても、人柱の話が昔語りになるほど時が流れているというのに、姫神は小さな姿のままであった。中屋の於《お》りんと同じくらいか、少し上かという外見だ。まるで人柱になりかけたときに、お比女の時が止まってしまったかのようだ。髪だけは長く伸び、髷《まげ》を結っているのに、更に身の丈近くまで垂らしている。

とにかく若だんなは、姫神に笑顔を向け、挨拶《あいさつ》をした。仁吉の背中からというのが、少々情けなかったが。

「江戸の商家長崎屋の息子で、一太郎と言います。仁吉がお世話になっているようで」

とにかくきちんと頭を下げる。

(仁吉には、どうして私でなく姫神と一緒にいたのか、後でしっかり聞かなくては

ね）

だが直ぐに若だんなは、また小さな悲鳴を上げた。

「痛っ、えっ？　私はご挨拶をしただけ……」

「姫神！　いい加減にして下さい！　いくら姫神とは言え、若だんなに暴力をふるったら怒りますよ」

仁吉が怖い声を出すと、お比女の団栗を持った手が下がる。おびえたかのように、一歩退《さ》がった。

「そういえば」

確か昨夜も、お比女には団栗を投げ付けられた。おまけに今、お比女は顔をしかめ若だんなを睨《にら》んでいる。厳しい視線であった。なのに、何となく半泣きのようにも見える。

この眼差《まなざ》し故に、若だんなは昔の姫神の夢に摑《つか》まれたのだろうか。仁吉が手を押さえていなければ、また団栗をぶつけられそうだ。

「……姫神様は私のこと、嫌いなの？」

仁吉が手でなだめるように、軽くとんとんと、背中の若だんなをさすった。

「どうやら……そのようなのです」

ここでようやく仁吉が、姿を消した訳を話し出した。

3

仁吉は当初、予定通り若だんなと小田原へ向かおうとしていた。

ところが佃島《つくだじま》の湊《みなと》で船に乗り込もうとしたまさにその時、かぶり物をした見知らぬ二人が人に紛れ、若だんなを訪ねてきたのだという。片方は皮衣《かわごろも》からのお使い狐《ぎつね》白孔《はくこう》、もう一人は山神が遣《つか》わされた天狗《てんぐ》の御使殿《みつかいどの》であった。

「実は、若だんなを箱根へお連れして、湯治させたらどうかというお話は、おかみさんが持ち出すより、ずっと前からあったそうなんです。皮衣様が、箱根の神社に連れてきてくれれば孫に会いに行けるからと、おかみさんに持ちかけていたそうで」

母おたえは、長崎屋の離れで、箱根への旅の善し悪《あ》しを庭の稲荷《いなり》神に聞いたと言った。白孔の話によると、狐と縁が深い稲荷神には、そのとき既に皮衣から話が伝わっていたらしい。よって若だんなの湯治は、あっさりと決まったのだ。

「湯治の話は荼枳尼天《だきにてん》様もお知りになり、その後、箱根の山神様へと伝わったようなのです」

ところがその湯治のせいで騒ぎがおこり、山神が若だんなに使いを出すと聞いて、若だんなの心配をした皮衣も狐に様子をみにいかせたのだ。お比女は山神の娘だから、若だんなが箱根へ来るという話を聞いていても、不思議ではない。

「ですが、そこから妙なことになりましてね」

どこでどう話がねじれてしまったのか……お比女は若だんなが来るのを嫌がり、厭《いと》ったらしいのだ。御使殿が仁吉にそう話した。

「は？　どうして？」

若だんなは呆然《ぼうぜん》とするしかなかった。今までに、お比女と会ったことは無い。それどころか申し訳ないが、箱根に姫神がいることすら知らなかった。

その事を聞いた山神も、やはりというか、何故に若だんなを嫌うのかと、お比女に理由を聞かれたらしい。だがお比女は黙り込むばかりで、何も口にしなかったそうだ。茶枳尼天や皮衣への手前もある。山神が、それでは済まぬと重ねて尋ねられたところ、お比女は父神とすら口をきかなくなってしまった。

その上お比女は、己の居場所に閉じこもったのだという。平素から父神の庭くらいしか出ぬお比女であったそうだが、益々《ますます》姿を見せなくなってしまったのだ。

可愛《かわい》がっていたお比女が、父神に背を向けたのだ。それ以来箱根の山神様は、ぐっと機嫌が悪くなられたという。地を揺らし遥《はる》か深き所から吼《ほ》えているという話だ。山では地震と共に、地鳴りがしているのだそうだ。昔、人にお比女を傷つけられたときも、山神は同じような様子だったらしい。

「山神様の怒りが度を過ぎると、言い伝えのように、芦ノ湖が半分埋まるような惨事になりかねないという話で」

事情を知る山神の側仕《そばづか》えや、姫神の守《も》りたる他の天狗らが、心配し始めた。若だんながいるからいけないのだと、そんな無茶を言い出す者すらいるのだという。

「昨今の地震って……そのせいなんだ」

江戸をも揺らす地震。最近妙に回数が多いと思っていたら、若だんなは己が知らぬ間に、その一件に関係していたらしい。

「心配した守り役の蒼天坊《そうてんぼう》殿という天狗が、若だんなを厭う訳を、何とか姫神から聞き出そうとなすったんです。そうと知った姫神様が、蒼天坊殿に団栗をぶつけたとか。守りも嫌いだから、近寄るなと言ったとか」

蒼天坊はいたく、その言葉に傷ついたらしい。原因となった若だんなのことを、酷《ひど》く怒っているようであった。騒ぎを聞いた山神は若だんなから話を聞くため、御使殿を立て江戸に行かせたという訳であった。

つまり仁吉は心配している皮衣の使者と、怒っている山神の使いへの、対応を迫られることとなったのだ。

「こう言っちゃあ何ですが、山神様の元へ連れて行かれ、何で姫神に厭われているか聞かれても、若だんなは驚くことしか出来なかったでしょう？」

仁吉は御使殿にも、きっぱりそう言ったのだ。しかしとにかく蒼天坊からもきっちり調べて来いと言われたらしい御使殿は、己達天狗が嫌われた原因が若だんなだと思っているから、態度がかたくなであった。どうでも箱根の山神様のところへ寄こせという。若だんなの都合なぞ、お構いなしであった。

「勝手を言う奴らで」

第一、それでは若だんなの初めての旅が、とんでもないものになる。ゆっくり湯治も出来ないだろう。おまけに、大事な若だんなが旅の途中で消えたら、事情を知らぬ長崎屋の者達が大騒ぎをするに決まっている。

仁吉は急いで佐助と話し合い、船には乗らぬことに決めた。とりあえず己が話をしに、箱根へ行くことにしたのだ。

「その後で、まさか佐助まで若だんなの側をはなれるとは思いも寄りませんでした」

御使殿らを若だんなから引き離すため、強引に引っ張って、早々に箱根へ向かったという。

若だんなには心配をかけたくなかったし、また、委細を話す暇も無かった。のんびりしていて湊で出会ってしまったら、天狗は若だんなを攫《さら》っていきかねなかったからだ。

その後、箱根に着いた仁吉は、お比女と会ったのだが、案の定口をきいてもらえない。若だんなの兄やだと話したら、一層かたくなになった。色々聞こうとすると、姫神は住まいに逃げ込んでしまう。

「とにかく無言なのです。比女様がどうして若だんなを厭うのか、未《いま》だに訳が分からないんですよ」

つまりお比女は、閉じこもり黙り込んだままなのだ。これでは山神の機嫌も直らない。天狗達が怒りを募らせてゆく。

「そのまま比女様を放り出し、箱根へ来る若だんな達と合流する訳にもいかず……」

仕方なく仁吉はお比女の側で、機嫌が直るのを待ちつづけた。

「ところが昨日、天狗達に妙な動きがありまして」

若だんなが箱根に入ったことを知ったらしい。あまりに剣呑な様子に、お比女は天狗のことを心配しはじめた。守り達のことは、やはり大切に思っていたらしいのだ。だが天狗はお比女に何をするか話さない。仕方なしにお比女は昨夜、山に出た天狗達の後を追ったのだ。

姫神のお供をするかのように、仁吉も山から山へ歩いた。若だんな達一行と巡り会い、天狗達が若だんなを襲ったと知ったのは、襲撃が終わった後の話であった。

「なんと……」

若だんなは仁吉失踪《しっそう》の思わぬ理由に、驚いてお比女を見た。お比女は勝手をした天狗達に腹を立てたらしい。帰らずここにいるのだという。仁吉は皆にお比女のことを、たまたまこの地で出会った、知人の子だと、言いつくろったらしい。事情があって、一時あずかっているという訳だ。若だんなは仁吉の背中から首を伸ばし、話しかけた。

「あの……お会いするのは、今日が初めてだと思いますけど」

おずおずと尋ねてみたが返答はない。相手は姫神様だとは分かっているのだが、何しろ童《わらべ》姿だ。若だんなはつい、幼い子に話しかけるように話してしまう。

「なのにどうして、私を嫌ったりするのかな？　訳があるの？」

お比女はそっぽを向いてしまった。てこでも口を開かないという、願掛けでもしているのかもしれない。

（いや、神様が願掛けなどしないか）

己で己へ頼み事をするわけもない。思わず苦笑する。しかし若だんなは、直《す》ぐに顔をしかめた。

「兄さん達は天狗に襲われて、随分な怪我《けが》をしたんだよ」

妖の行動は人とは違うと知っていても、お比女のせいでは無いと分かっていても、ついそのことを、口にしてしまう。

だがこれを聞くと、お比女は、またひょいとつぶてを一つ投げた。頬をふくらませ、若だんなを睨むようにしている。

「お比女ちゃんは私に話をしてくれない。つぶてばかりくれてもなあ……」

しばし考えた後、若だんなは袖口《そでぐち》から鳴家を取り出した。お比女が、一寸吃驚《ちょっとびっくり》したような顔をして、小鬼達を見る。頭を軽く撫《な》でてやると、「くるくる」と鳴いた。小鬼は怖い顔をしているが、愛嬌《あいきょう》はある。お比女は気に入ったのか、顔を少し緩ませた。触ってみたい様子だ。

「ぎゅいーっ？」

鳴家は首を傾《かし》げ、若だんなの方を見ている。

「ねえお比女ちゃん。私が嫌いな訳を言ってくれない？　いつもならこんなに強く聞かないんだけど、今度の件には、天狗や山神様が絡《から》んでいるんだ。地震だって、そのせいだっていうし」

だからもし、若だんなが揉《も》め事の元であるのなら、きちんと対応せねばならない。

しかしその言葉を聞いても、お比女はふいと顔をそらしてしまう。

「話してくれたら鳴家と遊ばせてあげるよ」

お比女は一寸、目をきらめかせたが、駄目であった。若だんなはきゅっと唇を引き結ぶ。

「じゃあ、もう仕方がない。私流の手を打つからね」

そう言い放った。それからやにわに、鳴家達をお比女の方へ投げたのだ。小鬼が二四、ぽんと姫神の肩に乗る。腕に摑まる。お比女が思わずといった感じで、にこりとした。

「きゅわわわ？」

「お比女ちゃん、訳を話して下さい。これ以上口をきかないと……」

「………」

「喋《しゃべ》りたくなるまで、鳴家達にくすぐらせますよ。止めるなよ、仁吉！」

「へっ？」

仁吉が間の抜けた声を上げた途端、

「それっ、くすぐりっこだよ！」

若だんなが鳴家達を促した。くすぐり遊びは、最近長崎屋の離れで流行《はや》っているものであった。中屋の於りんと鳴家は、しょっちゅう互いをくすぐっては、笑い転げている。時々若だんなや屏風《びょうぶ》のぞきまで巻き込まれて、離れは笑いと涙で大変な騒ぎになるのだ。

「きゅきゅきゅきゅきゅーっ」

「きゃはーっ」

鳴家達は張り切った。お互いもくすぐりあいながら、お比女の着物の上を動き回る。こちょこちょと触る。お比女は顔を真っ赤にして、鳴家を押さえようとした。だが小さな小鬼達は素早く、どうにもお比女には捕まらない。

「きょんげー」

「きゃっきゃっきゃっ」

くすぐったければ、鳴家達は笑うからいいが、お比女はどうしても口を開きたくないらしい。半泣きになってそれを我慢している。だが、唇が震えていた。殴られるよりも、笑いを我慢することの方が、難しいこともある。

「ぎゅいいいーっ」

「きょん、きょん、きょんっ」

くすぐり、逃げる。またこちょこちょこちょ。鳴家達は大活躍だ。お比女は段々我慢が辛《つら》くなってきたらしい。笑って泣いているような顔で、仁吉の背にいる若だんなを睨《にら》んできた。

「まだ口を開かないの？　じゃあ……へへへぇ、ほらっ、笑ったら負けだ」

若だんなが、珍奇な顔をお比女に見せた。両の手で己の顔を引っ張る。睨めっこのように鼻を天に向け、目を左右めちゃめちゃに上げ下げした。

「…………」

それでもお比女は、歯を食いしばって耐えた。そのとき。

鳴家の一匹がいつもやっているように、襟元からするりと、お比女の着物の中に入り込んだのだ。さらに中で、あちこちくすぐる。もぞもぞと着物の中で動かれて、お比女が悲鳴を上げた。

「き、きゃああっ……ひゃひゃっ」

笑い出した！

すると遊んで貰《もら》えたと思ったのか、鳴家達が嬉《うれ》しそうに大きな声を上げた。一気にあちこちをくすぐったから、たまらない。

「やだやだやだっ……ひゃ、ひーっ、やめてっ……」

お比女が身を大きくよじった。更に鳴家が喉元《のどもと》を小さな手で、ぺたぺた触る。撫でる。

「ひっ、きゃっ、わわっ」

その時たまたま一匹が、適当に動かしたお比女の手の中に入った。

「つ、捕まえたっ！」

「きゅんわーっ」

まだ顔を赤くし涙を溜《た》めたまま、お比女が鳴家を高く掲げて言う。小鬼はひゃひゃひゃひゃと、手足を振って笑いこけている。

そこに若だんなの声がした。

「私の勝ちだ。やっとお比女ちゃんの声が聞けたね」

仁吉に負《お》ぶわれながら、にこにこしている若だんなの所に、鳴家が一匹、ぴょんと戻った。お比女はもう一匹を持ったまま、若だんなに不機嫌な顔を向ける。

「何が勝ちよっ。お、負んぶされてるなんて、赤ちゃんみたい。勝ったなんて言ってるけど、全然格好良く無いんだから」

お比女は一寸どもると、早口で言った。若だんなが、にこりと笑う。

「おやお比女ちゃん、ちゃんと話せるんだね」

ここで仁吉が、若だんなを変に庇《かば》った。

「若だんなはまだ十八ですからね。神仏から見れば、昨日生まれたように見えても、仕方ないことで」

その言葉に、若だんなは眉根《まゆね》を寄せる。

「……そりゃ仁吉は齢《よわい》千年をこえているから、そう思えるんだろうけど。でもその答え方は、おかしかないかい？」

「おや、どうしてですか？」

溜息と共に、若だんなはそろそろ背中から降りるという。やはり女の子に赤ん坊のようだと言われるのは、気になるのだ。だが仁吉が首を振って止める。羽織の紐《ひも》を、しっかりと縛ってしまった。

「熱があるんですから、絶対に体を冷やしてはいけません！」

「仁吉ってば！」

二人がわいわい言い合っているのをお比女はじっと聞いている。そしてしばし後、境内の渡り廊下に腰を下ろした。

ぽつりとこう言った。

「……やっぱり長崎屋の若だんなは嫌い」

その言葉に、お比女の膝《ひざ》の上にいた鳴家が、機嫌の悪い顔つきになる。小さな手でぺしぺしとお比女の頬を叩《たた》いた。若だんなを守って、戦っているつもりなのかもしれない。

叩かれてお比女は、傍目《はため》で見ている以上に痛そうな顔をした。目に涙が盛り上がってくる。じき、堰《せき》を切ったように一粒あふれだすと、喋りはじめた。

4

「私は……ち、父神が怖い」

静かな朝の境内で、お比女の言葉が小さく聞こえた。渡り廊下の方へ近づいていた若だんなと仁吉は、目を見張る。

「父神様？　私じゃ無くて？」

「若だんなは嫌い。人も嫌い。人はいつも笑っていても、次に何をするか分からないから」

家族のように優しくしてくれていたと思ったら、お比女を人柱にしようとする。樽《たる》に詰める。湖に沈める。一番困ったとき、己は他人なのだと思い知らされる。お比女は、人とは怖いものだと知っているのだ。

　要するに父神も怖い、人も怖い、誰も彼も怖いという心持ちらしい。お比女は細い足を投げ出して俯《うつむ》いている。

「私は……姫神様が湖の畔《ほとり》にいる夢を見たよ。人柱の儀式を見た。あの人達が、どうしてあんなことが出来たのか分からないけど……姫神様が物凄《ものすご》く、涙が出るくらい怖い思いをしたのは分かった」

　若だんなの言葉に、お比女は早口で言う。

「……あのとき私は恐ろしくて、父だと聞かされてた山神様に、必死に念じていたの。私に気がついてって。こ、怖い、助けて。早く、お願いだから気がついてって」

　お比女が助けを求められる相手は、山神しか残っていなかったのだ。会ったこともなかった父に、お比女は念じ続けた。

　あの時余りにも恐ろしかったせいか、今でも人柱にされかけたおりの夢を見る。そうすると、お比女は落ち着いていられない。誰か助けてと、念じてしまう。あげくにその思いが詰まった夢を、方々に送ってしまうのだ。それが一太郎にも届いたらしい。

　不安が募ったときなど、お比女はたまたま拾った他人の夢まで、別の者に見せたりするらしい。

（じゃあ、以前長崎屋で聞いた声は、天狗や勝之進さんのものだったのかな。あれは、お比女ちゃんがやったことなのか）

若だんなは驚いた。

「それは凄い。やはり姫神様だ。常人とは違うんだね」

「ちっとも凄くない。私は……ずっと人として暮らしてたんだもの。た、ただの人だったんだもの。父神様から、今日より姫神となすと言われたって……やっぱり違うんだもの！」

お比女がそう言った途端、ずんっと、地が鳴った。今度は「ひゃっ」と声が出たくらい揺れた。仁吉がさっと身構えたが、程なく収まってゆく。

しかしこの揺れで、またお比女の目に涙が盛り上がる。

「父神様は、私のことが不満なんだ。思うような姫神にならないと、嘆いておいでなんだって。だ、だからこのところ、地面が揺れてばかりいるんだって」

それを聞いた若だんなが、負ぶわれたまま少しばかり首を傾げ、言う。

「それは……どうかしら」

だがお比女は若だんなの声が耳に入らない様子だ。地面の一点を睨み付けるように見たまま、また一粒涙を流した。

「お比女ちゃんは、何で父神様まで怖いの？　人柱になりかけたのを救って下さったのは、父神様でしょう？」

若だんなの問いに、お比女がゆっくり顔を上げた。確かに父神はお比女を守った。だが。

「私、父神様のところに行ってから、暫《しばら》く動けなかったの」

恐怖のため寝付いてしまい、枕《まくら》から頭が上がらなかったのだ。お比女は暫くの間、天狗《てんぐ》達に面倒をかけていた。

だが、やっと起きあがっても、そこは父神の庭だった。村で育ったお比女にとって、馴染《なじ》みのない場所であったのだ。困ることはなかったが心細かった。己が人柱にならなかったせいで、村がどうなったか気にもなった。

「だから起きあがれるようになってから、生まれた村に行ってみたの。そ、そうしたら……岩だらけになっていた」

それだけしか無かった。家も、人も、誰もいなかった……。村が無かったのだ。

「神の怒り、ですね」

仁吉の言葉に、若だんなが目を見張る。

「龍神が暴れたっていうの？」

「いえ、父神様の方でしょう。神というのは、人が何をしても、甘くあられるという方々ではありませんからね」

恵みと福運をもたらして下さる存在。だが人が行いを誤れば、神は荒ぶるものであった。それが、この日《ひ》の本《もと》の神々だ。よって民はいつも神を敬い、祭り、捧《ささ》げものをするのだ。それは古《いにしえ》から綿々と続いてきた祈りであり、約束事であった。

古から祭ってきた神の娘に手を下す行いは、今までの祈りを否定すること。神に大《おお》嘘《うそ》をついたと、天に向かって言うに等しいことであった。どれほど村人が困っていようが、見逃される話では無かったのだ。

「私は父神が怖い。家が無かった。犬も、鶏も……人っ子一人見なかった……」

己のせいかと思うと、震えが止まらなかった。村人は無事だったのだろうか。どうしてこうなったのだろう。

「生き残ったのは役立たずの私。ど、どうしようもなくって、先々どうしたらいいのか分からなくて。そのときからすべてが怖い。父神の庭の隅で、暫くただ寝ていたの」

不思議と大人になりもしない。父神のところに来るということは、こういうことかと得心した。父神がお比女にかける言葉は、とにかく重く、ただ怖かった。それで長い長い年月ひたすら寝ていた。そうでなければ、ただじっとしていた。守りの天狗達といれば、何とか酷《ひど》く苦しい思いをせずに、毎日を過ごせたから。

「でも……」

お比女は己の膝を抱え込む。ちらりと若だんなの方を見てきた。

「少し前に若だんなの話が、父神の庭に伝わってきたの」

「私の話？」

ここで己の名が出てきたことに、若だんなは驚く。仁吉も片眉を上げた。

「荼枳尼天様にお仕えする皮衣殿の孫は、大層出来が良い。人の世で生きることを選んで、ちゃんと暮らしているって」

この言葉に、驚きの声が三つ重なった。

「ほんとかい？」

「おやおや」

「きゅわきゅわ」

ここで仁吉が大きく、わざとらしい溜息をつき、背中の若だんなに目を向ける。

「若だんなのことを、そんな風に思っておいでとは！　病になったとき、もうちょっと大人しく寝ていて下さったら、その噂《うわさ》を信じることも出来るでしょうがねえ」

「その言いようはないよ、仁吉。毎回寝てばかりいたら、足が萎《な》えてしまうじゃないか」

「萎えるほど、しょっちゅう寝込んでいなければいいんですよ、若だんな」

「きゅう、きゅう、きゅう」

二人と二匹でわいわいと言い合っている。それを見ていたお比女が、顔を歪《ゆが》める。

「私には若だんなが簡単に出来ていることが、出来ないの。き、きっと私だから出来ないの。私じゃ……」

その思い詰めたような言いように、若だんな達がお比女を見た。仁吉が口を出す。

「姫神様、それは考え過ぎというものですよ。そりゃ若だんなは町中で暮らしておいでですがね。薬を飲むのを嫌がるし、すぐに店で働きたがるし、困ったもんなんですよ」

「どうして私が働くと困るんだよ！」

また言い合っている間に、お比女は口をつぐんでしまった。

若だんなは仁吉の背から、話に乗ってこないお比女を見下ろす。少しばかり眉を顰《ひそ》めていた。

(お比女ちゃんの悩みは、結構厄介かもしれないねえ)

何故《なぜ》なら、若だんなが出来る男であってもなくても、お比女の悩みはやっぱり続く気がするからだ。若だんなの江戸での暮らしが立派でないと知っても、お比女はやっぱり明日も悩んでいるだろう。

(多分私のことは、単なるきっかけに過ぎない気がするよ)

お比女は、今にも堤防が切れそうな川みたいなものではなかったのか。若だんなの噂は、そこに降り注ぎ、川の堤防からあふれた雨だった気がする。

(怖い、怖い、か……)

もっとお比女と話そうと、若だんなは口を開け……また閉ざす。その時、熊野《くまの》権現《ごんげん》の奥の方から東光庵薬師堂に向かい、歩いてくる者を見つけたからだ。

(まだ話が途中なのになあ)

しかし山神のことなどを、うっかり人に聞かれてはまずい。黙った若だんなの袖《そで》の中に鳴家達が入り込んだ。

境内に現れたのは知った顔で、若だんなはにこりとして挨拶《あいさつ》をする。

「これは新龍さん、おはようございます。早起きだったんですね」

「おはよう、若だんな。具合はどうかい？」

境内に現れたのは雲助の頭領《とうりょう》格だ。若だんな達が起きた後で、東光庵薬師堂から出てきた者はいなかったから、もっと早くに起き出し熊野権現へ向かったのだろう。信心深くも、お参りに行ったのだろうか。

「疲れてないのですか。昨日はずっと駕籠《かご》を担《かつ》いでいたのに」

大男の新龍は、若だんなに向かってにやっと笑いかけた。二人にも軽く挨拶をする。

「そりゃあ一日中寝っ転がりながら、博打《ばくち》でもしていたい気分だがねえ。そうも言っちゃいられないんでな」

ここで新龍は、何とも妙な笑い方をした。苦笑しているようにも、困っているようにも、面白がっているみたいにも見える。大男の新龍は、そんな笑い方をしても迫力があった。

そのとき、ちらりと新龍が後ろを振り向いたように見えた。

若だんなも目をやってみたが、後ろには誰もいない。ここは熊野権現のお社《やしろ》でも端で、静かな場所であった。

(何を見たのかな……?)

新龍は若だんなの疑問など知らぬげに、話しかけてくる。

「昨日の夜、若だんなが崖下《がけした》に落ちていたとき、山道に箱根宿のもんらが現れたんだ。

若だんなを捜しにきていた。その話は聞いてるか？」

若だんなは頷《うなず》いた。

「気になるだろう？　わっちはずっとこの箱根にいるが、あんな夜中に松明《たいまつ》を掲げ、動き回る宿のもんに、会ったこたあなくてねえ」

その言葉に、仁吉がすっと眉《まゆ》を顰めた。

5

「それでなあ、熊野権現の方に、箱根宿のことを、ちょいと聞いてみたんだが」

新龍が話し始めたのは、東光庵薬師堂の囲炉裏の側であった。

夜もすっかり明け、皆も目を覚まし炉端に集まっている。

怪我人《けがにん》二人の内、太田孫右衛門は顔色が今ひとつながら、起きだせる程になったようだ。松之助はまだ足が痛むらしいが、炉端で座るには差し障《さわ》り無い。仁吉の薬は、良く効いたようであった。

勝之進が前々から熊野権現と話をつけてあったということで、自在鉤《じざいかぎ》には粥《かゆ》の入った鍋《なべ》がかけられている。刻んだ漬け物が添えられ、話をしながらの朝飯となった。

「どうも最近、箱根の宿では皆が浮き足立っているというんだ。箱根神社の中から、気になる御神託が聞こえてきたってえ噂があるんだよ」

神官によると、ここ最近神社から御神託が下されたということは無い。しかし宿はその話で持ちきりらしい。

「それはどんな神託なのだ？」

聞いたのは勝之進だ。侍二人は、簡単なものだが膳《ぜん》を用意し、そこで粥をすすっていた。後の者達は囲炉裏端で、思い思いに場所を決め、気楽に朝餉《あさげ》を食べている。

若だんなもやっと仁吉の背から降りて、座っていた。まだ熱は引いていなかったが、新龍の話が聞きたくて、踏ん張って起きている。

「それがねえ……お江戸から災いが来るってぇような、ものらしい」

どうにもはっきりしないのは、きちんと神官や巫女《みこ》から信者に告げられたものでは無いからだろう。そのときふいと、お比女が下を向いた。仁吉の羽織を着せられた若だんなが、炉端でちょいと首を傾《かし》げる。

(もしかして……私が来たら嫌だというお比女の思いが夢になって、箱根の宿に流れ出たのかな？)

若だんなもお比女の夢に巻き込まれ、それを見ている。他にもそんな夢を見た者がいたのかもしれない。ただの夢だから、普段ならば大して噂になることもなく、消えていっただろう。

しかし。

今、箱根には、他にも幾つか噂が飛び交っていたのだ。その噂は更に噂を呼び、人々の心配をかき立てている。何故なら、不安を呼ぶことが続いているからであった。

それは。

「もしかして地震、ですか」

松之助の問いに、新香《しんこ》の尻尾《しっぽ》を囓《かじ》りながら、新龍が頷く。

「随分前から、揺れが続いているからな。地震てえのは、誰でも怖いもんさ。山神様がお怒りで、今にも山が爆発するんじゃないかって、そんな話をする奴もいるんだ」

他にも幾つかの噂を、新龍は摑《つか》んでいた。

「ある夜、奇妙な面を被《かぶ》った男達が、『若だんな』を知らないかと尋ね歩いていた」

そういう話もあった。彼らは地獄からの使者だと。

「どこからか、女の子の泣き声がする」

「水がごうごうと、どこかへ流れていっている。その内に川も湖も干上がって、干ばつになる」

「神が人柱を欲しがっている」
というのも聞いたという。最後の人柱の話が出たとき、部屋で一緒に粥をすって
いたお比女が、露骨に嫌な顔をした。
（お比女ちゃんがいる限り、この地で山神様が人柱を求められる筈《はず》、無いんだけど
な）
若だんなは心の内でそう思う。だが大切な人の命を差し出せば、代わりに願いが叶《かな》
えられるのではないかと思う気持ちは、いつの時にも人の内にあるようであった。
「その上ちっと、まずいことが起こっててね。いっぺんに幾つか噂が伝わっていく内
に、話の中身が混じりだしたみたいなんだよ」
まあ、よくあることだと言いながらも、新龍は渋い顔だ。
「……そいつが、どうかしたんで？」
仁吉が若だんなに、粥のお代わりをすくいながら聞く。新龍の目が、ちらりと若だ
んなをかすめた。
「お江戸からくる災いと、面を被った男達が捜す相手と、神への人柱の話が混じった。
つまりお江戸の若だんなを神様に捧げりゃあ、地震が収まるだろうって言い出したも
んらが、いるようなんで」

若だんなは思いがけない指名に、呆然《ぼうぜん》として木の椀《わん》を置いた。そのとき、またゆさりと地が揺れる。部屋の内で、皆が不安げに粥を食べる手を止めた。太い柱が低い音を立てて軋《きし》む。若だんなは、東光庵薬師堂の鳴家達の声を、初めて聞いた。

「は?」

この時仁吉はぐっと、険しい顔を浮かべていた。

「剣呑《けんのん》な話を聞いてしまいましたね。そんな噂のある場所に、若だんなを置いちゃおけませんや」

早々に湯治を切り上げ、若だんなと江戸の店に戻ると言い出した。ところが、これに新龍が首を振る。

「そいつが、簡単には出来ねえかもしれぬのさ。村のもん皆が、若だんなを捕まえる気になっているとしたら、道も歩けやしねえよ」

街道に出たら、直《す》ぐに捕まってしまうという。それにこの芦ノ湖畔を少し先に行けば、箱根の関所がある。何か騒ぎが起これば、そちらから役人が出てくるかもしれぬ。そうとなったら、話がどう転ぶか見当がつかない。

「騒ぎは避けた方がいいと、わっちは思うがね」

他の雲助達も頷いている。そこにお比女の、半泣きのような声がした。

「し、信じられない。まだ人柱なんかを捧《ささ》げて、己が安心したいと思ってる人達がいるんだ」

更にここで、苦しげな声を出した者がいる。侍達であった。

「朝顔をまだ手に入れておらぬ」

なのに若だんなは、江戸に帰ってしまうかもしれぬという。

「いや、この地で若だんなが捕らえられて、万が一にもとんでもない目にあったら、それこそ朝顔どころではなくなるか……」

一同は山道で襲われた。更に命にかかわるような、不穏な噂を耳にした。そんな話の最中に、若だんなが朝顔の種を気にしている余裕が無いのは分かると話す。

しかし！ そのか弱い花には、小藩の武士達と家族らの、明日の暮らしがかかっているのであった。

若だんなも困り事を思いつき、口にする。

「仁吉、今すぐ江戸まで旅をするんじゃ、怪我をした兄さんが辛《つら》いよ」

「若だんな、恐ろしく怖い噂があるじゃありませんか。私の怪我を気にしている場合じゃあ、ないですよ」

問題は山と出てきたが、さてそれでは今、何をどうしたら良いのか、直ぐに答えが見つからない。小さな泡を立てている粥を前にして、一同、寸の間黙り込んでしまった。

その時、仁吉が表に目を向けた。開けられた戸の向こう、境内の先から、足音が近づいてきているのだ。新龍が眉を顰める。

「誰かね？」

侍二人がさっと脇《わき》に置いていた刀を手にした。雲助達が身構える。松之助は革袋の紐《ひも》に手をかけた。若だんなは咄嗟《とっさ》に、お比女の手を握った。

誰かが来る。

（もう迷っている時は無いんだね）

たとえどうしたら良いのか分からなくても、今直ぐに、どう動くか決めなくてはならなかった。

若だんなは大きく息を吸ってから、境内をじっと見つめた。

四　東光庵薬師堂

1

その声は、若だんなの耳元で囁《ささや》いているかのように聞こえた。

『それに……嫌だ』

ずっと神の庭に閉じこもっていた。何かの役に立ってない己《おのれ》が嫌だという。

『迷惑を掛けてばかり……で、でもそうと認めるのが怖い』

そのことを考えると嫌になる。だから人の目が怖い。怖い。怖い。

『怖い……』

(ああ、この声の主は)

誰だか分かった。お比女《ひめ》だ。

(苦しい思いを抱えきれなくて、姫神様はまたあちこちに、夢をばらまいているのかな)

では若だんなは今、寝ているのだろうか。少し首を傾《かし》げた。そこにまた声が響く。

『どうしよう……明日から、ううん今から、どうしたらいいんだろう』

守《も》りである天狗《てんぐ》達は、正しい日々の過ごし方を教えてくれる。

『あれは嫌い。言葉一つでその通りにやれるなら、く、苦労しないもの』

父神は優しい言葉をかけてくる。ほんのたまに、姫神の前に現れるときは。

『ほとんど、顔を見ることがないけど』

きっと優しい神を求める人は数多《あまた》いて、お比女にだけ、かまってはおられないのだ。

神様は神様であって、だから正しくあらねばならないから。様々なことが出来なければならないのだ。人を支えねばならない。受け入れねばならない。そうでなければ神として、役立たずだと思う!

父神は正しくあられる。その筈《はず》だ。ずっと神としておわし、人々から頼られ拝まれているのだから。姫神たるお比女は……違う。

『どうしよう……どうしよう……苦しいよう』

小さな泣き声が続いている。夢の中だとは思いつつも、若だんなは我慢出来ずお比女に声をかけてみた。

「お比女ちゃん、私はここにいるよ」

その声は届いたのかどうか。お比女のか細い言葉が続く。

『守り達は優しい。泣いてわめいている者に、皆、一回は優しい』

しかし。

『ずーっといつまでも、優しくしてはもらえない。だ、だって相手も疲れちゃうから』

それが分かるから、また人に怯《おび》える。悩みは嫌でも己の中に溜《た》まってゆくのだ。生まれてきて、役に立ったことがあったろうか。いやこれからだとてあるだろうかと、迷う声が続く。聞いている内に若だんなは己の顔が、段々引きつってくるのが分かった。

(まるで、まるで、私に向かって言っているみたいだ)

口にしても詮無《せんな》いことと思うから、普段決して言わないその言葉。だが誰に言われなくとも、若だんなの心の奥底に転がっていて、無くならない思いでもあった。

(役立たずかぁ。苦しいねえ……)

お比女は苦しい。若だんなも苦しい。しかし互いに、今はそんな思いを口にするのも贅沢《ぜいたく》な日々を送っていると思うだけに、弱音を吐くのは憚《はばか》られる。

世の中には、食うに困っている者がいる。親が借金を抱え、売り飛ばされる者もいる。なけなしの蓄えを、一夜の火事で失うという話も珍しくはない。病にかかっても、医者にすらかかれぬ者も大勢いるのだ。

（食べるにも着るにも困らず、人の借金を負わされることもなく、住むところもある。家族もいる）

　これで文句を言ったら罰があたる。

分かっている。分かっていても苦しさが減らない。気持ちの奥からこみ上げてくるものがある。

　そんな己は出来が悪いのだろうか。贅沢なのだろうか。嫌になる。大いに嫌になる。腹が立って、止まらぬこともある。

誰に？　父に？　我に？

（ああ……）

　思わず「苦しいよう」と声を出してみた。何だか息まで熱い気がする。頭も痛い。苦しい。

（どうしよう……）

　誰か……と手を差し出した。すると、握り返してきた小さな手があった。

（あれ……？）

額が急に、ひんやりと心地よくなった。部屋に涼しげな秋が、やって来たみたいであった。

（変なの）

小さな小さな手に、優しく撫《な》でられている気もする。心地よさは深い眠気を誘った。夢も見ない深い安らぎが、若だんなを手招きしている。

何もかもがゆったりとした暗さに包まれてゆく。まさにその時、また微《かす》かにあの言葉が聞こえた気がした。

『どうしよう……苦しいよう』

苦しいよう……と。

2

元箱根から東海道を歩み、徐々に険しくなる道をひたすら登り、杉と笹《ささ》の間を行く。やがて石畳を過ぎると芦ノ湖へ抜ける。すると湖の向こうへ、遠方まで風景が開けるのだ。その両側には、茅葺《かやぶ》きの家が幾つも建っていた。

旅姿で、目深《まぶか》に笠《かさ》を被《かぶ》り湖畔の周りにある道を歩いてみる。朱色の二の鳥居脇《わき》を抜けると、すぐ脇の湖畔に、風呂《ふろ》桶《おけ》程もある鉄釜《てつがま》が二つ据《す》え置かれていた。

「これは……人が入れそうな大きさだ」

小さく驚いたような声を出したが、物見遊山《ものみゆさん》ではないから、旅の者は鉄釜の脇で足を止めはしなかった。そんな事よりも気になる光景が湖畔沿いの道の先にあった。おもむろに被っている笠に手をやると、一層深く被り直した。

「勝之進……誰と一緒にいるのだろうか？」

小さくつぶやき、先に見える人影の方へと歩み出す。

その時、この地の者であろうか、半纏《はんてん》のような短い着物を着た数名が、横の小径《こみち》から湖畔に現れ、旅の者に声をかけてきたのだ。近寄ってくる男達の顔つきは、どう見ても余り親しげではなかった。

箱根神社近くの道には、ここ一日二日、険しい顔をした者が多くいるのだ。それはこのところ地震が多いせいだとも、妙な御神託のせいだとも言われている。気が立っているのか、何やら物騒な木の杖《つえ》を持っている者が多い。

今も男の一人が、いきなり旅の者の腕を摑《つか》んで名を確かめてきた。突然のことに、旅の者は一寸《ちよつと》怒声を出す。しかし、男達は引っ込まなかった。

「お前さん、江戸から来たのかね」

「裕福げな着物だ」

威嚇《いかく》でもするがごとく、木の杖を見せつけつつ、取り囲んでくる。中の一人が、若者の笠をむしり取った。

「何をするっ」

笠の下にあったのは、不機嫌だが綺麗《きれい》な顔であった。切れ長の目をきつく光らせて、一同を睨《にら》む。道中刀《どうちゅうがたな》に手をやり身構えた。

「お前達、追いはぎか？」

「ち、違うわい。近在のもんだ。物取りじゃ無いわな。ちょいと聞きたいことがあるだけだ」

ずいと前に、年かさの男が進み出る。まだ刀から手を離さない若者に、尋ねてきた。

「お前さん、『若だんな』かね？」

「はあ？　何だ、それは」

いささか変わった質問に、若者は一層顔つきを険しくして男達を見る。男が重ねて『お江戸の若だんな』を捜していると言うのを聞くと、刀から手を離し、面倒くさそうに懐《ふところ》から書き付けを出した。道中手形であった。

「見なよ。私は奉公人だ。手代《てだい》だよ。まあ、お江戸の者じゃあるがね」

旅の途中、箱根神社にお参りに寄ったと言うと、先程の男が近よってきて、手形に手を伸ばした。頷《うなず》くと頭を下げてきた。

「長崎屋の手代、仁吉さんか。人違いだ。手間を取らせた。申し訳なかったのぉ」

仁吉は笠を被り直すと、静かに尋ねた。

「一体誰を捜していなさるんだい？　名を教えてくれないか。旅の途中、そのお人を見かけたら、伝言くらいしてやるよ」

親切にもそう言うと、男達はいささか困った様子で、顔を見合わせた。

「それがな、名は分からんのだ」

「はあ？」

仁吉の呆然《ぼうぜん》とした声を聞き、男達が苦笑を浮かべる。

「いささか説明しにくいでな」

そう言うのを重ねて聞くと、御神託に出て来た若者を捜しているのだという。

「御神託？　神社の神様が、お江戸の誰ぞに用があると、名指しでそうおっしゃったのかい？」

とんと聞いたことのない話だと、仁吉が面白そうに言う。笑われたと思ったのか、慌《あわ》てて年かさの男が言い訳をした。

「そういう訳じゃあ無いよ。ただ、お江戸から災いが来るって話があってね」

「……そいつが、『若だんな』というお人だと？」

「『若だんな』がいりゃあ、神のお怒りが収まるという話があるのさ。それでお江戸から来た『若だんな』を捜している」

いささか持って回ったような、歯切れの悪さは、『若だんな』を見つけた後、どうするつもりなのか言いたくないからかもしれない。

「お江戸には『若だんな』と呼ばれる者など、数多いるよ。誰と分からないんじゃ、声をかけようもないね」

仁吉は首を振ると、先を急ぐからと、その場を離れていった。

だが、そのまま東海道を下っていきはしなかった。暫《しばら》く歩いて、先程の男達が仁吉をみていないことを確かめると、近くにあった茶屋に座り込む。そうしてたまたまその場にいた人に、今聞き込んだ噂話《うわさばなし》をしはじめた。茶屋のおかみや奉公人、旅人、近在の宿の者が話に加わった。

「江戸の『若だんな』を知らぬかと聞かれたんだ。捜しているのに、名前が分からないんだと」

そう水を向けると、その噂は既に皆が知っているものであった。

「ここ二日くらい『若だんな』のことを、聞いて回っている人達がいるよ。その先の宿屋のご主人も一緒だったかな」

「その噂の『若だんな』、勘定《かんじょう》でも踏み倒して逃げたかな」

旅人が笑いつつ言う。すると、奉公人が首を振った。

「違うと思う。最近、何だか怖いような噂が多いんだわな。わっちが聞いたのは、面を被った男達が、この辺をうろついているってぇ話だよ。そいつらに行き会っちまったら、命が無いと聞いたよ」

「嫌だねえ。ろくでなしの雲助《くもすけ》が、無体をしてるんじゃないだろうねぇ」

茶屋のおかみが心配げにそう言った。

そのとき。不意に、突き上げられる感じがした。総身が傾く。ゆさり、と地面が揺れていた。

「……ああ、また」

誰もいい加減慣れてきているのか、大きく揺れたのに、茶屋では悲鳴一つ上がらなかった。ただ、湯飲みが地べたに転がり落ちる。収まってからそれを拾いつつ、おかみが硬い顔つきになっている。

「そういやあ、東から鬼が来たって話があったねえ。そいつがこの地震を、箱根に連れてきたってさ」

「わっちゃあ、どこぞの『若だんな』が、悪運を背負ってきたって聞いたよ。お面の主は箱根の神様の使いで、地震を収める為《ため》に、その者を成敗しにおいでだとか」

「お仕置きをなさって、この地震が収まるなら、早うしてくんねかねえ。こうもぐらりぐらり揺れたんじゃ、何とはなしに、きびが悪くって」

「関所の人が、富士のお山の話をしてたってよ。百年から昔、火を噴いたんだそうな。富士がだよ！　その時も地震が多かったそうな。そりゃあ酷《ひど》く灰が降って、昼間でも真っ暗。まるで夜のようで、行灯《あんどん》を点《つ》けなきゃあ家の中が見えなかったとか」

そんな話を聞くと、地震が続いているだけに、皆の顔つきが一層不安げなものになる。

大雨になったとか、干ばつが来たとか、天の神様がへそを曲げた途端、下々《しもじも》の暮らしは大変なことになる。抵抗出来ない程の大きな力の前に、皆祈るしかないのだ。

「ああ早く『若だんな』が捕まって、地震が収まってくんないかねえ」

その時、またまた揺れる。収まれと言われたのに地面が腹を立てているかのようで、皆黙り込んでしまった。

「……やれ、怖い」

仁吉はそう言って立ち上がり銭を置くと、茶屋を離れた。するといくらも行かない内に、道端の大木の陰から、侍が顔を出してきた。

東光庵薬師堂にいる連れの一人、勝之進だ。やあと、あちらから声をかけてくる。

「大分物騒な噂が広がっているようだの。軽く持ちかけると、皆が『若だんな』の話を知っていると言い出す。つまりこの辺の者達に見つかると、拙《まず》いということだ」

その言葉を聞き、仁吉は被った笠の下で溜息《ためいき》をついた。

「やはり堂々と、東海道を江戸に向かって下るのは無理そうですね」

それでなくとも若だんなは病身で、動きが取りにくい。おまけに怪我《けが》をしている兄、松之助をそれは心配しているので、若だんなだけを引き離すことは、なかなか難しかった。

「私はもう少し先、関所近くまで行ってみようと思っている」

勝之進がそう言うのを聞いて、仁吉が頷く。

「あたしは先に、若だんなの元へ戻ります」

朝方から若だんなは熱を出していた。それが心配なのだ。勝之進は湖畔沿いに、足早に歩き始めた。先程声をかけてきた者達が、そこいらにいないか確かめた後で、仁吉も近くの石段を飛ぶように上ってゆく。

だが途中で、一回だけ振り向いた。遠ざかってゆく勝之進を見て、眉間《みけん》に皺《しわ》を刻む。

「先程は、ただ話を聞いている様には、見えなんだが……」

だが言葉は口先で消え、仁吉はそのまま若だんなの待つ庵《いおり》へ向かって行った。

3

「そういう訳で、先程神官さんが教えて下さった通り、街道の様子は、どうにも剣呑《けんのん》なのです。土地の者達は、適当に思いこみのままに、話をこさえている。全く、どうしたらあんなことが出来るのか」

東光庵薬師堂に帰ってきた仁吉は、枕元《まくらもと》で村の話をしながら、ほっとした様子を見せていた。若だんなの熱が大分下がっていたからだ。側《そば》で若だんなの額を冷やしていたお比女が、手ぬぐいを絞ったりしつつ、少しばかり得意げな顔をして仁吉の話を聞いていた。

お比女の袖《そで》の中に、何故《なぜ》だか鳴家《やなり》が入っている。

若だんなは今日もまた、いつものように、うんざりするほど毎度の事ながら、高い熱を出し寝込んでいた。

今朝方《けさがた》は早起きし、少しばかり庭に出た。するとさっそく、昼前には具合が悪くなってしまったのだ。長崎屋の離れと違って、寝起きしている東光庵薬師堂は隙間風《すきまかぜ》が入って寒い。おまけに布団《ふとん》は見事なまでにぺしゃんこで、若だんなはあっという間に立てなくなった。

仕方なく若だんなは、怪我をした松之助や侍の太田孫右衛門と共に、薬師堂で大人しく横になっていた。

お比女が若だんなに付き添っていたのは、他に人がいなかったからだ。一行の内、元気な仁吉と勝之進それに新龍《しんたつ》ら雲助が、若だんなを連れて江戸への旅が出来るかどうか、様子を見に街道沿いに出ていった。仁吉はなるだけ早くに、箱根を離れたがっていた。

（今朝方、剣呑な話を聞いたから……）

お比女達と庭にいたとき、勝之進と顔見知りである熊野権現の神官が、急を知らせてくれたのだ。どうやら神社の方にまで、村の男達が若だんなを捜しに来たらしい。若だんな達は急いで東光庵薬師堂に籠《こ》もり、一刻《いっとき》ほど息をひそめていた。

（参ったね……どうしてこんなことになったのやら）

そもそも若だんなは、箱根へ湯治《とうじ》に来たはずだった。生まれたときも幼いときも、若だんなと呼ばれるようになってからさえ、溜息が出そうな程に病弱な若だんなは、今度の旅に、それは期待していたのだ。

(湯治に出ればもしかしたら、人並みの半分くらいには、強くなれるかもしれないと思ったのになあ)

なのに。

船に乗った途端、二人の兄《にい》やは消えた。塔之沢の宿に着けば、夜中に人さらいと出会った。天狗《てんぐ》が夜の真っ暗な山の中から湧《わ》いて出る。松之助達は怪我をした。佐助ときたら箱根の山中で顔を見せたが、その後またいなくなってしまった。

その上若だんなはお比女に嫌われたあげく、奇妙な噂にとっ捕まっている。心配事が湧き出してきて尽きない。

(おまけに、さ!)

小さく溜息をつく。箱根で体を良くするどころか、またまた出てきた熱が引かず、お比女が額に乗せてくれる手ぬぐいに、慰められている始末であった。

(今、一番の気がかりは佐助だけれど……佐助は強い妖《あやかし》だもの。そんなに心配することはないよね?)

仁吉に聞けば、そうですよと言ってもらえそうではある。だが若だんなは、口に出さなかった。佐助の姿が無い以上、言葉で心配が減ることは無いからだ。

代わりに、たわいもない泣き言をつぶやく。

「箱根にいるのに、私はどうしてまだ一度も、湯に入っていないんだろう？」

「あれ若だんな、ま、まだなの？　湯治に来たんじゃなかったの？」

お比女が驚いた様子で聞く。それから笑った。

「意外と間が抜けてるんだ」

若だんなは顔が火照《ほて》ってしまった。気恥ずかしくなり、煎餅《せんべい》布団の中に潜り込む。炉端に座り込んでいた松之助が、横からあれこれ言い訳して来た。しかしお比女は、ただ若だんなをけなしている訳では無かったようだ。「ちょっとほっとした」のだそうな。

「若だんなが窮屈なくらい、立派じゃあ無いと分かったから」

今まで長く閉じこもっていたお比女だが、これでいいならば己も町で暮らせるかもしれないという。いやもしかしたら、町暮らしの方が向いているかもと言い出した。

「……おや、まあ」

褒められたのか、けなされたのか分からないと若だんなが言うと、仁吉と松之助が、揃《そろ》って溜息をついた。何故だか松之助の横で、壁にもたれ掛かった孫右衛門が、小さく笑い出している。

こほんと一つ、仁吉が咳払《せきばら》いをした。

「とにかく若だんな、村の様子が剣呑です。こうとなったら無事にお江戸へ帰ることを、一に考えなくてはなりません。二手に分かれた方がいいと思われます」

松之助や孫右衛門達は、怪我をしているのだ。若だんなと別であったほうが、安心して旅が出来て、良いだろうと言う。この庵には雲助らもいるから、松之助らは駕籠《かご》で運んでもらえる。とにかく小田原まで出られれば、長崎屋と連絡がつく。後は船の手配をすればよい。

それを聞いて、松之助が顔をしかめた。

「私らだけ、楽は出来ませんよ」

「わっちら雲助まで、松之助さんたちと一緒に行っちまって、いいのかい？　仁吉さん一人が病人の若だんなを引き受けるって？」

驚く松之助達に、仁吉ははっきりと言った。

「若だんなと共にいたら、また襲われるかもしれません。私一人じゃ、皆さんを守りきれません」

それでも皆は、直《す》ぐには納得しない。若だんなを見捨てるような気がするのだろう。

だが若だんなは大人しく話を聞くのみで、黙っていた。

(私と二人になれば、仁吉は妖としての本性を、隠す必要が無くなるだろうからね)

他の妖に助力を求めることもできようし、困れば皮衣《かわごろも》に連絡を取るという手も使える。仁吉はきっと、そうする気でいるのだ。

ところが。そこで、お比女の声がした。

「私も若だんなと行く。お江戸まで送って行くわ。わ、若だんなが心配だから」

己のせいで若だんなが天狗に襲われたことが、気にかかっているに違いない。しかしお比女を『姫神』だと知らぬ東光庵の者達から、驚きの声が出た。新龍など、にやにやと笑い出す。

「おや、この娘っこを江戸へ連れていくのかい? じゃあ病人と子供連れで旅することになる」

ここで新龍が、じゃあしょうがねえと親切心を口にした。

「松之助さん達は他の雲助らに任せて、わっちが若だんな達と一緒に行こう。それならいくらか、仁吉さんも楽だろうよ」

「楽って……」

仁吉が一寸《ちよつと》、返事に詰まった。正直に言えば、人である新龍が付いてくると、余計に大変なのに違いない。だが新龍は引っ込まない。

「若だんなを背負ってちゃあ、夜道で松明《たいまつ》も持てねえだろう？」

だからといって昼間だけ歩いていたのでは、早々に村の者に見つかってしまうかもしれないという。おまけに子連れだ。

思い切り困った顔になった仁吉は、とにかくより厄介な方……お比女の説得にかかった。姫神に江戸まで来られては、山神の怒りという火薬を抱えることになる。

「その、お比女さん、勝手を言っては駄目です。お父上がお怒りになられますよ」

お比女は長きにわたって御山に閉じこもっていた。その末に、天狗の後を追ってそこから出たまま、今は家出中となってしまった。守りの天狗達は心配しているだろう。

そんなややこしい立場のお比女を長崎屋へ迎え入れることは出来ない。

お比女は一見は子供でも、既に齢《よわい》千年をこえている。仁吉と良い勝負の、年季の入った姫神様なのだから。

「何よ、親切で言ってるのに。若だんなは、ちゃんと私に感謝しているもの。そうよね？」

促されて、若だんなは困った顔つきをした。兄やの言うことは聞かなくてはならないが、看病をしてくれたお比女にも借りがある。

ところがこの若だんなの迷いをみて、新龍がとんでもないことを言い出した。

「おやあ若だんな。もしかしてお比女ちゃんに、江戸へおいで、なんて言ったのかな？　お比女ちゃんは可愛《かわい》いからなぁ。今八つか？　九つか？　あと数年もすりゃあ、嫁に行っておかしくない年になるわなあ」

「へっ？」

「はあ？」

「えっ？」

「きゅう？」

仁吉、松之助など驚いた顔が、一斉に若だんなの方を向く。これにお比女の面白がっているような声が重なったから、たまらない。

「へえ。若だんなは比女を、お嫁にもらってくれるの？」

「ど、どこからそんな話が出てきたんですか！」

お比女は姫神なのだ！　人の世の町屋で暮らす若だんなとは縁がない。大体、この先何年経《た》ってもお比女は童《わらべ》姿のままであろうから、お江戸では暮らせない。

「お比女ちゃんは、私を心配してくれただけだよ」

（それと、色々怖くなったから、父神のおわす箱根から遠いお江戸へ出てみたくなっ

った。

お比女の心の内の察しはつくものの、それは東光庵では口に出来ぬ言葉であった。

すると何を思ったのか、囲炉裏端にいる仁吉まで、妙なことを口走る。

「確かにちょうど良いお相手かもしれませんが……」

「仁吉！（千歳違いじゃないか！）どこが、ちょうど良いんだい」

若だんなが思わず、小声を交えて言い返すと、今度は枕元にいるお比女に睨《にら》まれてしまった。

その上、いつの間にか鳴家達がお比女の袖の中にいて、こちらをふくれ面《つら》で見ているではないか。

「これはまた……」

（鳴家とお比女は、急に仲良くなったんだね）

若だんなが熱を出している間に、こっそり一緒に遊んでいたのだろうか。鳴家達は、せっかく出来た遊び仲間なのに、若だんながそのお比女を、お江戸に招かないのが不思議で不満なのだ。

とにかくお比女と鳴家を何とかなだめなくてはならない。放っておいたらどんな話になるのかわからぬからと、若だんなが煎餅布団の上に身を起こした。その時。

「新龍、いるか？」

いきなり戸が開いたと思ったら、神官が一人、東光庵へ文字通り飛び込んできた。先に、村人が熊野権現へ若だんなを捜しに来ていることを知らせてくれた者であった。

（新龍？）

雲助の頭領《とうりょう》を呼び捨てにする。その言いように、若だんなはふっと慣れた感じを受けた。

（あれ、熊野権現の神官さんは、雲助の新龍さんと親しいのかな？）

勿論《もちろん》、どちらもこの箱根に住んでいるのだから、以前からの顔見知りでも不思議ではない。しかし、街道筋では必要とされつつも、いささか煙たがられている雲助と、古き大社の神官とは身分が違う。日頃の付き合いがあるというものの、ぴんとこない話であった。

（そういえば、前にもこんな感じがして、首を傾《かし》げたことがあったたな）

何やら怖い顔をして、神官と話している新龍を見る。

（そう、ちょうど新龍さんが、あんな緊張した顔をしていたとき……ああ！）

思い出した。

（分かった！　箱根のお山で天狗に襲われた、あの時のことだ）

新龍が誰ぞにその名を呼ばれた訳では無かった。あの時は、新龍が侍の名を呼び捨てにしたのだ。「勝之進」と。

直ぐに身を守るのに必死になったから、呼び方一つのことなど、すっかり忘れてしまっていた。だが、金をもらって雇われているからといって、雲助が侍に向かってあんな風な口をきくものであろうか。

(他にも……不思議な事があったかも)

例えば一の湯から松之助と一緒に攫《さら》われそうになったときも、新龍の態度は、ただの雲助のようには見えなかった気がする。

(新龍さんの一言があったから、宿から孫右衛門さんに羽織《はおり》を持ってきて貰《もら》えたんだよね。けど……考えてみれば、お侍が雲助の言うことを聞くなんて、変だった)

いったい新龍とは、どういう人物なのだろうか。布団の上に座りこんだ若だんなが考え込んだその時、神官と話していた当の新龍が、部屋の中を向いた。

「熊野権現様から知らせだ。どうやらここに若だんながいることが、村に知れたらしい」

村から大勢が、熊野権現に押しかけてきているのだという。

「えっ？　その疑いは晴れたんじゃあ無かったんですか？」

仁吉が厳しい顔つきになる。

「先にあいつらが神社へ来たときゃあ、若だんなを名のる者などいないと神官様が言ったら、素直に帰ったそうだが」

なのに今回は、確かに『若だんな』がここにいるはずだと言い立て、村人が引かないのだ。今、一時神官達が止めている。だが、いつまで止めきれるか、分からぬという。

「ここにいる者が、皆で逃げ出す猶予《ゆうよ》はないな。それに人数が多いと目立つ。仁吉さんの言っていた通り、若だんな、あんたは皆と別れて逃げるしかなかろうよ」

他の者達は人違いを装《よそお》って、村人が若だんなを直ぐに追えぬよう、ここで対応し時を稼ぐのがいいと新龍は言う。

松之助は頷《うなず》いたが不安げだ。仁吉は素早く動いた。さっと革袋《かわぶくろ》を一つ手に取ると、負《お》ぶう間も惜しんで若だんなを小《こ》脇《わき》に抱える。それから戸口とは反対の窓を開け、飛び出た。背後の山に駆け込むつもりなのだ。

「兄さんは、後で皆と小田原へ……」

若だんなの声は、最後が「ひょえー」という、訳の分からないものになってしまった。東光庵が遠ざかってゆく。お比女がきっと唇を噛《か》むと、窓に飛びつくのが見える。

「わあっ、ちょいと待ちねえ」

新龍の声がする。じきにお比女を抱え、外に飛び出てきた。窓に現れた雲助の仲間に、短く言い置くのが聞こえる。

「後のことは、いつもの」

「ほいさ」

仁吉は足元の笹《ささ》を踏み、杉の間の小木を蹴散《けち》らし、物凄《ものすご》い勢いで山に入ってゆく。直ぐに東光庵が見えなくなった。その辺りで、新龍が後ろから声をかけてきた。

「仁吉さん、小田原の方角は分かるようだね」

「付いてくるな」

だがそう言われても、足を止めない。

「日中の山にゃあ、土地のもんが薪《まき》を拾いに来る。山の物を集めにも入る。もし若だんなを抱えているところを見られたら、拙《まず》いことになるよ」

「……新龍さん、何か考えがあるのか？」

仁吉が聞く素振りを見せると、新龍が小脇に抱えられた若だんなに顔を向け、笑い出した。

「まず、負ぶってやっちゃあどうだい？ 目を回しているよ」

仁吉の足がやっと止まる。運ばれていた若だんなの方が、息を切らしていた。それでも何とか仁吉の背に体を預けると、羽織が上から掛けられる。同じようにお比女を背にした新龍は、一度その体をしっかりと背負い直した。そのとき、ぼそりと仁吉に言った。

「なあ、誰が若だんなの居所を、村のもんに喋《しゃべ》っちまったんだと思う？」

仁吉の眉間《みけん》に、深い皺《しわ》が刻まれるのが分かった。若だんなは少し目を細め、しばし考え込んだ。

4

「分からんよ」

素っ気なく仁吉が答える。すると新龍がにやりと笑った。

「わっちもだ」

だがこれからのことについては、案があるという。

「わっちが思うに、とりあえず日中は、一旦《いったん》隠れちゃどうかね？」

そう切り出してきた。村人が近づいたりしない場所に心当たりがあるという。

「なに、東光庵薬師堂が立派なお屋敷に見えようっていう、気合いの入ったぼろさ加減の小屋だが、とにかく壁があって屋根がある。人目に付かずに済むよ」

そこに雲助達と駕籠《かご》を呼ぶから、夜になったら小田原へ下ればいい。

「ただ」と、言葉を切った。意味ありげであった。

「ただ、何なんだい？」

仁吉が新龍に、鋭い眼差《まなざ》しを向ける。大男はにたりと笑うと、仁吉の目の前に、ぐいと手を差し出した。

「宿代は頂く。小田原への送り賃も、弾んで貰えるかねえ。今言ったように、いささかぼろい宿だが、その割に高いんだ。それで良きゃあ歓迎するぜ、我々は」

「我々？」

若だんなが仁吉の背から、思わず聞き返す。新龍は、顔中が笑う口になったみたいに、大きく破顔一笑した。

「そこはこの辺の雲助の根城《ねじろ》なんだ。まあ何だな、村じゃあ物騒なところだと言われている。地の者は近づくこともすまいよ」

そう保証すると、「行く」と承知の返事をしたのはお比女であった。雲助の背から大きな声を出す。

「わ、私も一緒よ。ちゃんと若だんなを送ってゆくんだから」

「あのなあ、その役目は仁吉さんで十分だと思うがねえ」

新龍が溜息《ためいき》をついている。

「まあ子供なら娘っこでも、小屋へ連れていっていいか」

年頃の綺麗《きれい》どころじゃあ、危なっかしくって野郎どもの間にゃ置けないがと言うと、お比女が新龍の頭をぽかりと叩《たた》いた。

「こらっ、怒るな。がきは、がきだろうが」

さらにお比女がぺちぺちと新龍を引っぱたく。それで新龍が背から下ろそうとすると、お比女は背にしがみつく。どうやら新龍はお比女にとって、気の置けない者になっているようだった。

その騒動を、いささか胡《う》散臭《さんくさ》げに仁吉が見ている。若だんなは二人の様子を見て、少し笑う。しかし笑みは直ぐに引っ込んだ。

「私たちばかり逃げて、兄さん達、大丈夫かなあ……」

「あっちは心配要りませんよ。村のもんが追ってるのは、神託があったという『若だんな』なんですから」

松之助達だけなら、早々に江戸へ帰れるはずなのだ。仁吉の低い声に、負ぶわれた若だんなが首を傾げる。

「……仁吉、どうしたの？　何だか機嫌が悪そうだね。佐助のことでも、心配しているの？」

仁吉は首を振った。

「あいつは、天狗《てんぐ》にやられるような奴じゃありませんよ」

その目が見たのは、少し離れたところで、まだお比女と揉《も》めている新龍であった。

「あ奴、訳の分からない男です」

「仁吉もそう思うかい？」

「一体誰の味方で、何を考えているのやら。何故《なぜ》私たちに付いてきたのかも分かりません」

仁吉は思いきり低い声を出している。お節介にも後を付いてきた、正体の摑《つか》めぬ男の言いなりには、なりたくないのだろう。

しかし日中の山が危ないというのも、また言い返せぬ事実であった。箱根の山であれば、この地に住まう者達が一番よく知っていて、若だんなと仁吉には地の利が無い。

「確かに動くのであれば、夜の方が良いですね……」

闇《やみ》の中ならば、どこの土地でも人より妖たる仁吉に利が出てくる。仁吉は一寸《ちょっと》迷っているように見えた。だが若だんなが背中でくしゃみをした途端、新龍の方へ声をかけた。

「それで、宿賃はいくらだ？」

「おお、こりゃこりゃ、良いお客様だ」

新龍が、塔之沢の宿、一の湯よりも遥《はる》かに高い金額を口にする。何と、お比女の宿賃も若だんなが支払えと言いだした。

「それって、高すぎない？」

額を聞き、若だんなが問う。新龍が急いで首を振った。

「ちょいと高いが……まあ、こんなもんさ」

商いをしている仁吉ならば、より物の値を承知している筈《はず》であったが、拙いことにこの手代は、若だんなの為に使う金をけちったことがない。今度も金を出すとなったら、一切金額に文句は言わないのだ。

だが今回はいささか払いすぎだと、若だんなにも分かった。新龍がほくほくとした顔つきで、上機嫌になったからだ。足取りが軽くて、そのまま道から浮き上がって飛んでいきそうであった。

「こっちだ、付いてきてくれ」

道がないように見える山の中を、新龍は軽々と案内してゆく。随分と歩いた後、大きな石が転がる川沿いに出て更に下る。更に進むと、周りには家が見えなくなった辺りで、開けた土地に行き着いた。

そこそこ広い。小さな畑があった。新龍が誇らしげに、中央に建つ小屋のようなものを指差した。

「雲助の根城にようこそ。今は……まあ、風と雨に親しくなれそうな、そんな一軒家だ。だがな」

雲助達で先々ここに、もっと広い家を建てるつもりなのだと言った。

「なるほど、それでがっちりと稼いでるんだ」

若だんながいささか皮肉っぽく言っても、新龍は笑うばかりだ。

近寄るとその建物は、まるで長屋のように凹凸《おうとつ》の無い、ただの四角い平屋だと分かる。おまけにかなり小さい。しかし古くはなかった。戸の前で、お比女がひょいと新龍の背から下ろされる。

中は板張りで畳は無かった。真ん中に炉が切ってあるのは東光庵薬師堂と似ていたが、こちらの作りはぐっと貧相だ。夏でもお江戸より涼しい土地柄であれば、これでは冬、少しばかり……かなり寒いかもしれない。

「まあ仮の家だからな」

それでも雲助達は、この小屋が出来たことを、心の底から喜んでいるのだ。

「病に罹《かか》ったとき、来る場所が出来たからな」

宿に泊まるといっても金がかかる。病で稼げなくなったときに、一層物いりになるのでは、ゆっくり寝てもいられまい。きっと雲助達にとって、この小屋は大層大事な場所であるに違いなかった。

今は病人がいないので、小屋の守りが交代で来るくらいだという。だからゆっくりくつろいでくれと言い置いて、新龍は一旦、部屋から出て行った。近くにいるはずの仲間に声をかけ、湯の一杯も出し、夕餉《ゆうげ》の算段もしてくると言う。

新龍が部屋から消えると、仁吉が若だんなを背から下ろす。熱がぶり返していないのを確かめた後で、若だんなの印籠《いんろう》を取りだし、さっそく中の薬をいくつか選び始めた。

印籠は付喪《つくも》神《がみ》になったばかりの品で、絵の中の獅子《しし》が尾を振って若だんなの方を向いている。そこに、鳴家達がぴょんと姿を現した。一匹が獅子の尾を掴むと、印籠の外へと引っ張り出す。その背に乗り駆け回り始めたから、小屋の内はたちまち騒ぎとなった。

「これ、止めなさい」

若だんなが慌《あわ》てて止めたが、聞くものではない。最近若だんな以外の人と一緒にいることが多いので、鳴家達は好きに外へと出られない。江戸にいたころのように遊べないので、鳴家達も発散したいものがあるようだ。

そうなるとお比女も嬉《うれ》しそうに、鳴家とお獅子に手を差しのばす。新たに現れた妖の巻き毛を撫《な》でて、気持ちよさげだ。

だが仁吉はその騒ぎよりも、さし出した薬を若だんながちゃんと飲むかどうかを、気にしていた。

「旅に持ってきた薬、いつものより、凄《すご》い味になってないかい？」

薬の余りの強烈さに、若だんなが半泣きの顔つきになる。仁吉はあっさり、いつもより倍、濃い薬なのだと言った。そして味のことは気にもしていない様子で、さっさと話を変えた。

「雲助達が小屋を持っていると聞いたときは、驚きました」

居場所もないと噂《うわさ》されている者達であった。若だんながにこりと笑う。

「ここいらの雲助が皆で頼るには、少しばかり狭い家だけど……でも、これから大きくすればいいし」

土地は広いのだから。だがこれを聞いて、仁吉がちょいと口元を歪《ゆが》めた。

「そのことなんですが。この土地については気になりますねえ」

「土地？」

若だんながお比女と、顔を見合わせる。草がぼうぼうに生えているだけで、変わったところの見られない、だだっ広い場所であった。そう言うと仁吉も頷く。

「つまり、ここの広さですよ、驚いたのは」

雲助が小屋一軒、建てるために手に入れたにしては、過分な程の土地だ。

「どうして建物は貧相なのに、土地にだけこんなに金がかけられたんでしょう。どうもあの雲助は、胡散臭い」

この問いに、若だんなが首を傾《かし》げる。

その時、戸が開いて新龍が鍋《なべ》を手に帰ってきた。後ろに一人、雲助らしき者を連れている。話が聞こえていたのか、獲物を前にした狼《おおかみ》のような、いささか怖い笑みを浮かべていた。

「この土地は買ったんじゃない。仕事の報酬として、頂いたんだ」

家に比べ広いのは、そのせいなのだと、新龍はあっさりそう言った。たとえ金を作れても、雲助相手に土地を譲ってくれる者など、なかなか見つかるものではない。だから小屋を建てられる『場所』という形で支払いをして貰《もら》えたのは、大層嬉しかったという。

「でもあの……山駕籠で人を運んだ位じゃあ、土地で支払うような高い商いにはならないよね。新龍さん、どんな商売をしたの？」

寝付いてばかりとはいえ、若だんなも一応は商売人の跡取りであった。気になって尋ねる。だが新龍は何だか可笑《おか》しくて仕方ないという顔つきをしただけで、首を振って答えてはくれなかった。

そのとき。

「ひゃっ」

部屋の中程の炉に、鍋をかけていた若い雲助が短い声を上げた。

「家の中に何かいるのかい？」

（あ、しまった！）

若だんなが顔を引きつらせる。鳴家も獅子もまだ遊んでいて、若だんなの袖《そで》の中に帰っていなかったのだ。鳴家は喋《しゃべ》らなければ人に見えないが、お獅子はそうはいかない。

（どうしよう、見つかってしまうよ！）

「なんだあ？」
囲炉裏端にいた新龍が、顔を上げ部屋を見回した。その時、一匹の鳴家とお獅子が必死な様子でその足元をすり抜け、戸口から外へ駆け出ていった。新龍の目が、確かに鳴家達の動きを追った。若だんなの心の臓が、どきりと鳴る。

一寸、小屋の中が静かになった。

だが。新龍は落ち着いた顔つきで、連れの雲助に声をかけた。

「何もいないじゃないか」

見たに違いない妖については、一言も語らない。それどころか、さっさとそんな話を切り上げ、若だんな達に鍋の中身を見せてきた。

「夜、小田原へ向け出かけるにしろ、このまま待っているだけじゃ腹が減るわ。粟粥《あわがゆ》なら出来る。今こさえるからな」

そう言うと、連れの雲助と粥に入れる青菜があるかどうか、話し始めたのだ。何一つ変わったことが無かったかのような、所作であった。

(今……新龍さんはお獅子を目にしたよね？　確かにそう思えたんだけどな)

だが、新龍は何も言わない。

おかげで新龍を見る仁吉の目つきは、一層鋭くなった。お比女がこっそり、もう一匹の鳴家と窓から外を見ているのは、出て行った鳴家達が心配だからだろう。お比女に寄り添う形で、若だんなも鳴家達が無事か様子を確かめた。

(ああ、大丈夫)

近くの白い花を咲かせている小さな木の下に、獅子と二匹でうずくまっている。

(少し経《た》ったら、それとなく拾いに行かなきゃ)

付喪神のお獅子が抜け出した印籠を握りしめ、若だんながそう思った途端、不意に花の下の鳴家が顔を上げ、きょろきょろとし始めた。

(おや?)

鳴家は庭の隅を、うろつき出す。空に向け耳を澄ましている。まるで何かの声を一生懸命聞いているようであった。

じきにこくんと頷《うなず》いた。それから窓辺にいる残った鳴家に、大きく手を振って合図を送ってくる。

(おやや?)

そして首を傾げる若だんなの目の前で、お獅子にまたがると、まるで馬で遠乗りするかのように、山の中へ駆けて行ってしまったのだ。

(勝手に、どこへ向かったというんだろう)

箱根は知らない土地なのに、恐がりでいささか気の小さい、鳴家らしからぬ行動であった。残った鳴家に直《す》ぐにでも事情を聞きたいが、今し方妙な事があったばかりの小屋で、またまた変な声を新龍に聞かせたりは出来ない。若だんなは気を揉んだまま、しばしの間、黙っているしか無かった。

5

粟粥が煮えてくると、小屋の内に暖かい香りが満ちた。

「随分、物凄く久しぶりに粟粥を食べる気がするわ」

お比女が嬉しそうな声を出す。数百年は食べていないのかもしれない。若だんなに至っては、しきりと首をひねっていた。

「私は粟粥を食べたこと、あったっけ？」

長崎屋で出てくるのは、白米ばかりだった。そのとき若だんなは、ぽんと手を打った。

「そういえば前に、隣の栄吉が粟餅《あわもち》を作ってくれたよ。粟というのは、不思議な味のするものだった。確かちょいと焦《こ》げ臭くって、物凄い粘りけがあったな。息が詰まって死にそうになった思い出が……」

「あれ、粟ってそんなだったかな？」

炉端で交わされるお比女と若だんなの話を新龍が聞き、笑いながら粟をかき混ぜている。

「思い切り良いとこの育ちの子は、粟もろくに食ったことが無いようだ。そんなもんなのかね」

先程までいた若い雲助を、新龍は夜の稼ぎに行けと、出してしまった。よって小屋にいるのは、若だんなと仁吉、お比女、新龍だけだ。袖の中の鳴家も一匹となり、やや寂しい。

若だんなはその子に、隅で干菓子を上げた。そのとき、獅子に乗った鳴家の行方《ゆくえ》をこっそり聞いたら、知らないと答えたのだ。あの鳴家は、行ってくるとだけ伝えてきたらしい。

(どこへ消えたんだろう。大丈夫かしら)

山の夜は、闇《やみ》が頭に落ちてくるかと思うほど、急にやってきていた。山裾《やますそ》を昼間とは別物にし、花の色を押し包むようにして、夜は小屋にも早々に迫ってきている。全《すべ》てが黒く染まりだしていた。

そのとき。仁吉がすいと戸口の方へ顔を向ける。新龍も目玉を動かした。それで若だんなも、気がついた。風の音の中に、草をかき分ける一つの調子が混じっていた。

「誰か来るよ」

そう言った途端、小屋がゆらりと揺れた。

「わっ……久しぶりだ」

若だんなが思わずそう漏《も》らしている間に、揺れは収まる。小さな地震であった。

そこに、ほとほとと戸が鳴る。新龍が囲炉裏端から立ち上がって、戸を開けた。

「おう、お前らか」

顔を出してきたのは、以前若だんな達を運んでくれた雲助達だ。「また揺れたな」とか「誰が来たんだ?」とか、言葉が交わされている。庭に山駕籠《やまかご》が置かれているのが、小屋の内から見えた。夜、小田原へ抜ける用意かと合点《がてん》がいったとき、他の声がした。馴染《なじ》みの顔が、笑みを浮かべて小屋に入ってくる。

「なんと、勝之進さん」

東光庵薬師堂から急いで逃げなくてはならなかったせいで、街道へ出ていた勝之進とは、挨拶《あいさつ》もせずに離れることになっていた。

「わざわざ噂を聞きに行って下さってたのに、お礼も言わないままですみません」

若だんなが頭を下げると、勝之進は「無事で良かった」と言いながら、興味深げに小屋内を見る。

「ちょいと街道から外れたこんなところに、小屋があるとは思わなかったよ」

勝之進によると、あれから東光庵には、やはり村人が何人か押しかけたらしい。だが若だんなは逃げた後であった。松之助と取り違えたのだろうということになり、そちらの騒ぎは収まったのだ。

だがその後皆が……特に松之助が、若だんなのことを心配した。そうしたら雲助達が他の仲間を呼び、新龍のところへ行くと言い出した。松之助は一緒に来たがったが、まだ足の具合がすっきりしない。それで勝之進が雲助と共に、こちらの様子を見に来たのだそうな。

「それはありがとうございます」

勝之進は粟粥に目を落とした。

「事が収まるまで、この小屋に籠《こ》もっているのか?」

若だんなは首を振り、今夜にも小田原へ抜けるつもりだと言った。勝之進が眉《まゆ》を上げる。

「松之助さんも明日早くに、小田原へ向かうと言ってた。だがそれなら若だんなの方が、早く小田原へ着くかもな」

勝之進は頷くと、松之助が出立《しゅったつ》する前に東光庵へ戻り話をしたいと、早くも帰ると言いだした。

「我らも松之助さんと小田原へ向かうよ。松之助さんが長崎屋の船に、一緒に乗せてもらえるよう、船頭に頼んでくれるそうだ」

勝之進も早く江戸へ帰りたいのだ。

「そりゃ勝之進さんは、朝顔のことが気にかかっているでしょうし」

江戸に帰れたら、早々に勝之進の屋敷の方へ、長崎屋にある朝顔の種を届けると若だんなが約束する。

「上手《うま》いこと、変わった花が咲く朝顔が生えてくれるといいんですが」

「あ、ああ」

勝之進は少しばかり顔を強《こわ》ばらせた。

「すまぬ」と言い置いて出て行こうとする。辺りは夜に呑《の》み込まれてゆくが、今宵《こよい》は月光が降り注いでいた。それが蒼《あお》く闇を分け、足元が見えるほどには明るいようだ。

だがそれでも若だんなは、小田原提灯《ぢょうちん》を勝之進に持たせようとした。その手を、横から仁吉が止める。

驚いた若だんなが問うた時、仁吉は黙って戸口に立ち、出入り口を塞《ふさ》いだ。それを勝之進が怖い顔で見る。

「何をふざけているんですかね。それじゃあ出られませんよ」

勝之進の声は尖《とが》っていたが、仁吉はその声を無視して、新龍に目を向けた。そして問う。

「新龍さん、さっきお前さんがあたしにした問いを、憶《おぼ》えていますか？『誰が若だんなの居所を、村のもんに喋っちまったのか』そう言ったと思いますが」

東光庵から逃げ出したときのことだ。新龍が頷く。

「あのときあたしは、返事が出来なかった。なに、全く見当がつかなかったからじゃ無いんです。何人か疑わしい者がいて、絞れなかったからで」

仁吉は四通り考えていたのだ。

一に、熊野権現の神官。

二に、雲助の一人。

三に、新龍。

四に、村に降りた連れの一人。

「どうしたの？」

「とにかく若だんなが東光庵にいることを知らなきゃ、余所《よそ》でそのことを話すことは出来ないですからねえ」

知っていたのは、その者達だけだ。だからその誰かが、裏切り者の筈《はず》だった。

「あたしは新龍さんが一番あやしいと思っていたんです。でも新龍さんには、そんなことをする理由が無い」

まあ金のために、知っていることを売ったということは考えられるが。

「酷《ひど》いねえ。この真面目《まじめ》な雲助を、そんな風に考えてたのかい?」

話を聞いた新龍が、にやにやしている。仁吉は話を続けた。

「だけど若だんなは、東光庵から逃れてしまった。告げ口をした者は、もう一度、おなじことをやろうとするかもしれません」

あやしい者達の内、若だんながこの小屋にいるのを知っているのは、同行した新龍だけであった。

「これで居場所が知れたら、新龍さんが漏らしたことになる。そう思っていたんですが」

ところがわざわざ、若だんなの居場所を確かめに来た者がいたのだ。

「勝之進さんです」

仁吉は、勝之進のせいで若だんなが東光庵から追われたのではないかと、そう疑っているのだ。勝之進が眉間《みけん》に皺《しわ》を寄せた。

「そんな……たまたま様子を見に来たからって、そんなことを言われなきゃならないのか」

「勝之進さんを疑ったら、思いだしたことがあったんだよ」

東光庵から村に降りたとき、仁吉は勝之進が何人かの者と大変親しげに話しているのを、見かけているのだ。これを聞いて勝之進が怒った。

「いい加減にしろ。単に街道沿いで、若だんなの噂《うわさ》があるかどうか、確認していただけだろうが」

大体、どうして若だんなを追い込まねばならないのか。勝之進達は、江戸に帰ったら若だんなから朝顔の種を譲って貰《もら》うと、約束しているのだ。

「朝顔……？」

そのとき不意に若だんなが、話に口を挟んできた。ただし話しかけた相手はお比女だ。

「ねえ、お比女ちゃん、もしかしてこの箱根に、珍かな朝顔が咲いていないかな？」

やや涼しげな土地柄だから、お江戸の花とは少々違うものがあるかもしれない。そしてそんな花を貰えるとなれば……朝顔に藩と藩士とその家族の運命を賭《か》けている勝之進は、若だんなの居場所を教えてしまうだろう。

だがこの問いに、お比女が首を傾《かし》げた。

「箱根は夏でも蚊帳《かや》が要らないくらいに涼しいの。夏の花の朝顔を育てるには、向かないところなんだよ」

勿論《もちろん》温泉の湯がふんだんにある土地柄であるから、それを上手く使えば朝顔くらい育つだろうが……。

「私は聞いたことがない。新龍さんは珍しい朝顔の話、知っている？」

新龍が、口元を歪《ゆが》めている。

「知らないねえ。大体箱根の宿は、飯盛りも置いてねえ、間《あい》の宿《しゅく》より小さなところだ。ここじゃあお江戸の粋人みたいに、金も暇も余ってしょうがない者は見ないねえ。珍奇な変わり朝顔にうつつを抜かしている御仁《ごじん》の話など、聞かないわな」

だから箱根には、そんな趣味に走った花は無いだろうと、勝之進に顔を向け思い切り、にたあと笑う。その新龍の笑みを見て、勝之進が僅《わず》かに手を震わせた。顔色が変わっている。

「馬鹿《ばか》な……」

新龍を睨《にら》み付けるようにしてつぶやく。

「噂を聞いたのだ。確かに聞いたのだ」

この地には間違いなく、伝説になる位の凄《すご》い朝顔があるはずなのだ。若だんなの噂を集めているとき、勝之進の方からわざわざ聞いた訳でも無いのに、その朝顔の話は耳に入って来た……。

若だんながお比女を見る。

「箱根に変化咲きの朝顔は無いという。でも箱根には伝説の朝顔があるという。どういうことかしら」

お比女が一寸《ちょっと》、新龍の顔を見る。先にぽんと手を打ったのは、新龍の方であった。

「そいつはもしかしたら……あの言い伝えのことじゃないか？　若だんなにも話したことがあるだろう？　お比女ちゃん、ほら、地下の水脈の門にあるという、あれさ」

「水門が壊れないよう、山神様が門を縛ったという朝顔のこと？」

「そう、それだ！」

勝之進が勢い込んで頷《うなず》いた。すると、お比女と新龍は困ったような顔つきになった。

「その水門てえのは……箱根の大地下水脈を仕切っているくらいだから、そりゃあ大層、大きいという話だ。つまり、そいつを縛っている朝顔も、人の世のものじゃあ無いほどに、大きいとか」

新龍がそう言うと、お比女も頷く。

「これは噂を聞いたんだけど……本当に噂よ。それによると、水門の朝顔が最後に咲いたのは、七百年ほど前の話だって」

大きさも姿も桁《けた》外れの花は、それきり咲いていないのだ。次にいつ咲くか誰にも分からない。話を聞いていた仁吉が、渋い顔で言う。

「もしそんな朝顔が本当にあったとしても、そんなにでかくちゃあ、品評会である朝顔花合《はなあわせ》に出すことも出来ませんよ」

勝之進は、花合で大関を取るような一品が、欲しかったはずだ。ただの珍奇な花を追っていたのでは無い。贈答に使うつもりなのだから。

「そうか……そりゃあ、その通りだ」

勝之進がすとんと床に座り込む。その姿を見て、新龍が眉をつり上げた。

「じゃあ本当に、その朝顔を手に入れようとしたのか？　若だんなの居場所を教えることと引き替えに」

仁吉もそれは怖い顔つきになって、一歩、勝之進に迫る。若だんなが慌《あわ》ててその袖《そで》を引っ張り、止めに入った。

ところが！　あっという間に勝之進の体はよろけ、小屋の壁にぶち当たった。新龍が、その太い腕の力に物言わせ、殴り飛ばしたのだ。

「勝之進、お前また裏切ったのか！」

仁王のような形相《ぎょうそう》で言う。

「最初に若だんなを攫《さら》おうとしたとき、お家の為《ため》だと言った。雲助として雇ってもらったから、協力はしたさ。だがその後さらった若だんなに孫右衛門殿を手当して貰っただろう。その上、朝顔の種をもらう約束までしたじゃないか！」

そんな相手をまた、いとも簡単に裏切る。勝之進が睨み返してきた。

「これは藩と皆の……」

「黙れ！　言い訳がありゃあ、何をしてもいいっていうのかい」

新龍の形相は険しい。

「お前さんたちは、いつだってそうだ。己が正しいということに、突き進んでばかり。でもそいつぁ、己に甘い考えでもある。前にも言っただろ！　なにしろ余所様じゃあ無く、己が楽になる為の考えだからな！」

その一言に、勝之進が傷ついたような顔をしたものだから、新龍は一層いきり立った。また殴ろうとする。今度は勝之進も黙ってはいない。腰の物を抜く。狭い小屋で振ったものだから、お比女が悲鳴を上げた。

「止めて下さい、お比女ちゃんが怖がる」

若だんなが声を上げた。だが男二人の諍《いさか》いは、簡単には止まらなかった。刀が舞って、明かり取りの簡素な行灯《あんどん》を切り倒す。火の粉が散った。行灯の紙が燃え上がる。

「きゃあああっ」

途端、またぐらりと揺れた。火のついたままの行灯の切れ端が、部屋の中を転がる。

お比女は続けて大きく叫んだ。

「揺れが大きい。若だんな、伏せて下さい」

「ちきしょう、小屋に火がつく。そっちへ転がった行灯の燃えさしを消せ！」

仁吉や新龍が焦《あせ》っても、激しく揺れ誰もなかなか動けない。床に座り込んで、さらに悲鳴を上げ続けるお比女の肩を、若だんなが庇《かば》うように包み込んだ。

「大丈夫、もう喧嘩《けんか》は収まったから」

地震で勝之進も新龍も、立つことすら出来ないでいる。刀や拳固《げんこ》を振り回す者はいない。お比女を襲う男はいない。捕まえて樽《たる》に詰め、湖に沈める村人はいないのだ。

「お比女ちゃん……大丈夫だ。大丈夫だから」

若だんながそう繰り返して、しばし。

徐々に揺れが収まっていった。見れば床に散った火の粉は、雲助らが体を転がして下敷きにし、押し消していた。ゆっくり、ゆっくりと地震は収まってゆく。

お比女が若だんなにしがみついている。仁吉と新龍が、目を見合わせた。その横で勝之進が、呆然《ぼうぜん》としていた。叫ぶように言う。

「どういうことだ、今、その娘が叫んだ途端、揺れたような……」

ところが最後まで言わぬ内に、今度こそ勝之進は床に伸びてしまった。新龍が思い切り、拳固を食らわせたのだ。

「こいつを縛って、庭に転がしとけ！」

「ほいさっ」

何となく嬉《うれ》しそうな顔で立ち上がった雲助達が、あっという間に勝之進を身動き取れなくして木の下に放り出す。

「……あいつは、いつだって藩の為！　藩の皆の為！　それさえ言やあ、何をしてもいいのかよ」

新龍はまるで己が殴られたかのように、苦しそうな顔をして、床を睨んでいる。若だんなはお比女と共に、まだ立てずに床に座り込み、首をかしげていた。

(新龍さんは、勝之進さんのことに、それは詳しい。はて、どうしてかしら)

仁吉が新龍とお比女を交互に、鋭い眼差《まなざ》しで見つめていた。

6

柱も梁《はり》も朱で塗られている。まるで神社のような板張りの部屋の真ん中に、ごろりと、大きな姿が転がされていた。

手と足は頑丈な蔦草《つたくさ》でぐるぐると巻かれ、きつく縛り上げられている。それを横に立った大きな姿が見下ろしていた。

杖《つえ》を持ったその姿は、山伏《やまぶし》の格好と似てはいるが、背に大きな羽が付いている。巨大な鳥のようにも見える偉丈夫《いじょうふ》。天狗《てんぐ》であった。

「やれ、佐助とやら。お前一人の為に、随分と仲間が叩《たた》きのめされてしまったわ」

怖い顔で言うが、転がされている者からは、返事がない。天狗が、いかにもわざとらしく、大きな溜息《ためいき》をついた。

そのとき、隅の暗がりから鳴家が一匹、顔を見せる。鳴家は古い建物には数多《あまた》いる妖だから、天狗は気にもしないようではあった。だが、天狗が顔を向けると鳴家は慌てて隠れてしまった。

天狗が佐助の脇《わき》に、しゃがみ込む。

「名のるのが未《ま》だだったのう。我は蒼天坊《そうてんぼう》という。お比女さまの守り役なのだ。ご覧の通りの天狗だ」

先刻佐助が、打ち掛かってきたほとんどの天狗を伸《の》してしまったとき、蒼天坊は天狗の頭として、争いの場に現れたのだ。

落ち着いた物言いをして、天狗達の乱暴を謝ってきた。それで一寸、佐助が油断したそのとき、蒼天坊に杖で打ちすえられてしまったのだ。動ける天狗達に、その場であっという間に蔦で縛り上げられてしまった。

「ちょいと、こすからい事をした。あれは悪かったのう」

ちっとも悪いと思ってはおらぬ風で、蒼天坊は謝ってくる。

「何が悪かった、だ。仁吉は御使殿《みつかいどの》と一緒に、山神様の所へ向かったではないか。なのにお前達は、船にいる若だんなを襲ってきた！」

海上で見かけた数多の烏《からす》達。それに紛れ天狗達はやって来たのだ。佐助は防戦に出た。そして若だんなから遠ざけるため、佐助は仕方なく天狗達を追い立てつつ、船から離れたのだ。

蒼天坊が小さく首を振っている。

「若だんなは皮衣殿の孫。いわば荼枳尼天《だきにてん》様の身内だ。話をすると言っても、御使殿にも、いや山神様にさえ遠慮があろう。しかしそんな生ぬるい対応では足りぬと、我らは判断したのだ」

だから若だんなを襲撃した。

「怒っておるよな。我らの方が悪党で、己の方が、善だと思っておるだろう？　まあ、誰だとてそんなものだ」

だが、どう考えいかに動くのが正しいのか、皆、己で決めたものを中心に持っている。その大本の考えがそれぞれに違うから、どこでも、誰にでも通用する絶対的な『正しい』は、あるようで無いのだ。

「だが今回の事に限り、我ら天狗が正しい。ああ、間違いない」

天狗は断言した。よって、それを妨げる佐助は、今ここで捕まらねばならないのだという。佐助は少しばかり目を細め、蒼天坊を見た。

「お前の主人は……悪党という訳ではない。我らに、皆に害を為《な》そうとしている訳でもない。いや、よい子ですらあろうよ。それは分かっておる、分かっておる」

だがと天狗は続ける。

「お比女さまがおわす限り、若だんなは……世の邪魔になるのだ」

その言いようを聞き、佐助が目を見開いた。

「何故《なぜ》？」

佐助が初めて口を開いた。そのとき、またゆさりと地が揺れる。天狗の顔が、ぐっと険しくなった。

「この地震、誰が揺らしておるか、分かるか？」

村では山神様のご機嫌が悪く、地を揺らしておいでだと、噂になっている。

「だがな、我はそれが本当であったら、どれほどにか助かったかと、そう思うているのだ」

「…………」

佐助は険しい顔のまま、蒼天坊を睨み付けている。

「お前さんは若だんなの兄やだとか。ならば御身《おんみ》を餌《えさ》に、若だんなを捕まえてやろうさ。既に策は出来ている。うん、うん」

そう言うと、嘴《くちばし》のある顔が疲れたように笑った。

「若だんなは捕まらねばならない。お比女さまには、元のように大人しくしていていただかねばならない」

天狗はそう言い切ると、部屋から出て行った。

すると。

部屋の隅の暗がりから、先程の鳴家が出てきた。佐助の方へ近寄る。身を縛る蔦草に手を掛けた。しかしとてものこと、小さな手では解《ほど》けなかった。困った顔をする。

だがこの時、鳴家は恐ろしい顔で微笑《ほほえ》んだ。直《す》ぐに佐助の側を離れ、外へ向かって歩んでゆく。戸に手をかけ必死に開け始めた。

「………？」

佐助が見ている前で、板戸が僅《わず》かに開いた。するとそこから、新たな鳴家が部屋に滑り込んできたのだ。思い切り嬉しそうであった。

「若だんな、我には佐助さんの居場所が、ちゃんと分かりましたよう」

鳴家二匹は、お互いを見つけ出した事が、それはそれは自慢げであった。

「我らはすごい。一番、一番」

そう言いつつ、更に戸をこじ開ける。今度は広がった隙間《すきま》から、小ぶりなお獅子《しし》が顔を出した。

三匹は揃《そろ》って佐助の側に寄ると、絡《から》んでいる蔦に噛《か》みつき始めた。じきに、一本が切れる。手の戒《いまし》めが解けると、後は佐助が己で解いてしまった。

「ありがたい、良くやった」

褒め言葉に、鳴家とお獅子が大きく胸を反らす。自信満々、仁王立ちをする。

だが先刻の天狗に聞かれるのが怖いのか、辺りを憚《はばか》る小さな声で、「ぎゅわっきゅー」とこっそり雄叫《おたけ》びを上げたのだった。

五　箱根神社

1

箱根の山に、夜が落ちてきていた。

天空に月が青い輪をかけているから、その光が届くところは、草が野の道にくっきりと影を落とす程の明るさがある。湖の水面も今宵《こよい》は、僅《わず》かに立つ波が分かるほどだ。ただ、ひとたび影の中に足を踏み入れると、己《おのれ》の姿すら、一面の暗さに呑《の》み込まれ消えてしまう。それが夜の山であった。

だが、若だんな達が身を寄せている雲助《くもすけ》の小屋では、囲炉裏《いろり》で暖かい色の炎が燃え立っていて明るい。ただし、今はいささか焦《こ》げ臭い匂《にお》いが部屋に満ちていた。先程起こった地震で、粟粥《あわがゆ》が薪《まき》の上にひっくり返ったせいだ。

「やれ、久々に大きい揺れだったな。粥は作り直しだわ。粟がまだあって良かった」

囲炉裏端で、ぶつぶつと文句を言っているのは、雲助の親玉新龍《しんたつ》だ。刀まで抜かれ

た勝之進との諍《いさか》いも、身を揺るがす地震も、過ぎてしまえば何事も無かったかのように、落ち着いたいつもの顔を見せている。粥のことを愚痴《ぐち》りつつ、洗った鍋《なべ》をさっさと自在鉤《じざいかぎ》にかけ直していた。

他の雲助達の姿は既に無い。地震で燃えた行灯《あんどん》の後始末をした後で、早々に夜の稼ぎへと出て行ったのだ。小屋の中は、また若だんな達四人に戻っていた。

騒いだあげくに縛り上げられた勝之進は今、小屋近くの木の下に転がされている。新龍は、勝之進の見える窓の方を、一度も向かなかった。その背を、若だんなが見つめる。

(きっと、とても気にしているんだね)

じきに鍋の中から、柔らかな湯気が上がり始める。その頃になると、小屋内の騒ぎに怯《おび》えていたお比女《ひめ》も、やっと落ち着いた顔をみせてきた。若だんなの着物の袖《そで》から、細い指先が離れる。

「もう大丈夫？」

若だんなが顔を覗《のぞ》き込むようにして聞くと、お比女は何だか恥ずかしげな、ふくれたような表情で頷《うなず》いた。その返事に、にこりと笑うと、若だんなは小さなお比女を抱き上げ仁吉の膝《ひざ》に乗せる。それから新龍に近づいていった。

「おや若だんな。粟粥はまだ煮えちゃあいないよ。もう暫《しばら》く待ちな」

木じゃくしを持ったまま、炉端に座った新龍が若だんなを振り仰ぐ。若だんなは頷いてから、袂《たもと》に手を入れた。

取りだしたのは一匹の鳴家《やなり》であった。一旦《いったん》、二人の間にぶら下げる。そしてその鳴家を、いきなり新龍の頭に乗せたのだ。

「……えっ」

仁吉とお比女が、その光景に目を見開く。突然座りの悪い場所に置かれた鳴家は、困ったような顔をして、新龍の頭の上でもぞもぞと動いていた。

地面がまた微《かす》かに揺れる。しかし慣れっこになっている為《ため》か、そんな小さな地震で騒ぐ者はいなかった。新龍が顔を強《こわ》ばらせているのも、地震のせいとも思えない。声が出てこない様子であった。若だんながもう一度、笑いを浮かべる。

「ああ新龍さんて、やっぱり鳴家が見えていたんだ」

妖《あやかし》である鳴家は人には見えないが、勿論《もちろん》触れればそれと分かる。そんなものを頭に乗せられたら、誰でもびっくりするはずだ。大声を上げるかも知れない。頭に何が落ちて来たのかと、振り払うのが当たり前な気がする。

だが新龍は、固まったかのように動かなかった。

「新龍さん、端《はな》から妖が見えてたんでしょう？　でも私たちには、そうと言ってなかった。だから急に鳴家を頭に乗せられて、咄嗟《とつさ》にどう振る舞ったらいいか、分からなかったんじゃないですか？」

正面から若だんなにあれこれと言われたのに、新龍からは、いつもの威勢の良い言葉が出てこない。

だが……しばし後、新龍は頭に手を伸ばした。鳴家をそっと手に取ると、驚いてきょろきょろしている小鬼に、笑いかける。

「やれ、お前さんは鳴家というのかい。今日は、あのお獅子《しし》と一緒じゃないんだな」

「あ、あの時の子はここにいたんです」

若だんなが懐《ふところ》から、お獅子の抜け出た蒔絵《まきえ》の印籠《いんろう》を出して見せた。ところがもぬけの殻と思っていたのに、巻き毛の獅子は豪華な印籠の中で、機嫌良く尾を右に左に振っていた。

（あれ……いつの間に戻っていたんだろう？）

先程の地震騒動の内に帰ったので、気がつかなかったのか。しかし一緒であった鳴家の姿はない。若だんなは微かに眉《まゆ》を顰《ひそ》めた。

「お獅子？」

声をかけてみたが、新米の付喪神《つくもがみ》はただ鳴くばかりで、まだ口をきかない。だがその様子には気がつかず、新龍が微笑《ほほえ》んだ。

「おやまあ、印籠だったのか。お獅子は、付喪神という訳だ」

やはり新龍は、あやしの者に詳しかった。鳴家の小さな手を取ると、物珍しそうに一本指で握手している。それから一つ息をつくと上を向き、若だんなに聞いてくる。

「どうしてわっちには見えていると分かった？　気がついたのはいつだ？」

「はっきり変だなと思ったのは、新龍さんがお獅子に乗った鳴家を、見なかったと言った時です」

見たことをわざと隠したとしか、考えられなかった。だがその言葉を聞くと、新龍は笑うように肩を揺する。

「不可思議なことを、人に言わないでいるのが、そんなに変だったかな？　若だんな、そういうお前さんだとて、人の身で妖が見えているようじゃないか」

だがこうして四人だけになるまで、若だんなも妖のことを口にはしていない。

「お前さんも他の人には、妖のことを聞かせないようにしているんだろう？」

常ならぬことをすると、疑いと災いを呼びかねないからだ。新龍はそう言うと、ちらりと仁吉達を見た。意味ありげに片眉を上げる。

「もっともわっちには、妖の連れがいるわけじゃない。常ならざる者の存在を知ることがあっても、それ以上のことは出来ないのさ」

妖が何者かとか、どう対処したら良いのか決めるのは、神官や僧侶《そうりょ》の役目だと新龍は思っている。だから妖が見えても、日頃余分なことは言わぬようにしていたのだ。

その言葉に若だんなは眉尻《まゆじり》を下げた。

「聞かれたのが……すごく嫌だった？」

「いや……いいよ、若だんな。お前さんには、わっちの気持ちは分かるだろうからさ」

うかつなことを人に話せばどうなるか、若だんなも知っているはずなのだ。箱根では噂話一つで、村人から追われる身になっている。それに山道で襲われたことといい、今はどうにも剣呑《けんのん》な状況であった。

「こんなとき、よく分からない者が側《そば》にいるのは、確かに不安だわな。誰を信用していいのか、迷うもんなあ」

新龍が苦笑する。

そのとき。急に印籠のお獅子が一声鳴いた。

鳴家がびくりと震え、若だんなの袖の中に飛び込み丸くなって隠れてしまう。お比女が顔つきを硬くした。残りの三人に緊張が走る。

「また、何か……来ますね」

三人が揃《そろ》って感じているということは、訪ねて来ているのは、ただの人では無いかもしれない。仁吉が身構えた。

だが。待ち構えていても、その『誰か』は一向に、小屋内にあらわれては来なかった。

「うん？」

じきにしびれを切らし、新龍が炉端から立ち上がる。真《ま》っ直《す》ぐ戸口へ向かい開け放った。

「おっ？」

軽く声が上がる。

月明かりの下には、誰もいなかった。驚いたことに、縛られていたはずの勝之進さえも、庭にその姿が無かったのだ。

新龍に続いて若だんな達も、急いで外に出る。小屋近くの木の下に近づくと、縄が解けて地面に落ちていた。その上に書状がのせられている。新龍が拾った。

開いてみると、それは若だんなへの呼び出し状であった。

「廻船問屋《かいせんどんや》兼薬種問屋《やくしゅ》長崎屋一子、一太郎殿。御身の守《も》りにて廻船問屋手代《てだい》佐助なる者、当方にてお預かりいたしおり候《そうろう》。その者の引き渡しに付きお話いたしたく候えば、貴殿におかれては、明朝後記の場所へご足労願いたく候。突然の書状にて失礼つかまつり候」

署名は無い。新龍は口を歪《ゆが》めた。

「この手紙の主が、勝之進の縄を解いてやったみたいだな」

「おやま、佐助を捕らえてあると書いてありますよ」

仁吉が横から読んで、ひょいと片眉を上げる。若だんなが顔つきを曇らせた。佐助を生けどるなど、並のことではない。

「それに、この小屋に音もなく近づいて、姿を見せずに消えたなんて……この手紙を寄越《よこ》したのは、妖だよね」

そして佐助と別れたとき、争っていた相手は天狗《てんぐ》であった。

「天狗達が、若だんなの兄《にい》やを攫《さら》ったの……」

側にいたお比女の震えた声が、月下の野へ消えていく。新龍が手紙を若だんなに渡した。

「天狗ってのは先に、山でわっちらを襲ってきた奴らだね。暗かったし、皆は天狗の面を被《かぶ》った山伏達だと思ったみたいだったが」

だが新龍にはあの時から、分かっていたのだ。あれは本物の天狗であった。仁吉が、手紙を見つめる若だんなの顔をのぞき込む。

「若だんな、この書状の呼び出しに、応じるおつもりですか？」

「行くよ。佐助のことが心配だから」

若だんなが恐る恐る、しかし断固とした意志を込めて言う。朝まで待たなくてはいけないのが、つらいくらいだ。しかし。

（きっと、無理しちゃいけませんと、仁吉に止められるよね）

唇を引き結ぶ。だが驚いたことに、兄やはあっさり「そうですか」と言ったきり、全く反対しなかった。

「あれま、仁吉も佐助のことが心配なんだね」

何だかんだいいながら、二人はもう何年もの相棒なのだから。若だんなはうれしそうに頷く。だが若だんなの言葉に、仁吉はきっぱりと首を振った。

「守りのくせに、若だんなに疲れることをさせて、どうするっていうんですか。佐助は自力でさっさと逃げ出してくるべきですな」

しかし。

「呼び出し状を寄越したのは、まず間違いなく烏天狗《からす》でしょう」

相手が箱根宿の村人であったなら、若だんなは早々に江戸へ帰るのが正しいやり方だ。それで事は終わる。

「ですが天狗達は飛べます。どうでも若だんなと会いたいと思ったら、江戸まで来るかもしれません」

ならば早めに天狗達と、きちんと向き合うことも大事だろうと、仁吉は言うのだ。

「誠にもっともで、頷ける意見だね」

そう答えてから、若だんなはいささか疑い深げな顔を仁吉に向けた。若だんなが事に絡《から》んでいるというのに、仁吉がいつになく、真っ当な意見を言ったように思えたからだ。

「ねえ仁吉。明日は話合いに行くんだよね？　まさか烏天狗達と、真正面から争う気じゃないよね？」

この綺麗《きれい》な顔をした兄やには、ごつい佐助と競うほどに物騒な一面があるのだ。おまけに人里離れたこの地なら、いざというときは争いの加勢に、知ったものを呼べる。例えば……皮衣《かわごろも》に付き従う狐《きつね》達とか、だ。

（怪しい）

若だんなは仁吉をしっかり見張っていようと、心に決めた。その時新龍の、いささかのんびりとした声が横からした。

「なあ、ちょいと聞きたいんだが。さっきの書状の送り主は、天狗達なんだよな？」

若だんなと仁吉が頷くと、新龍はお比女に目を移す。

「なら、悩むことはないんじゃないかい？　天狗達は姫神様の守り役なんだろう？　お比女ちゃんから話を通してもらえばいい」

そうして、天狗達と手打ちをすれば良いだけの話ではないのか。だがその言葉に、お比女が表情を硬くした。顔をしかめ下を向く。

「無理。天狗達はこうと決めたら、私の言うことなんか聞かないもの」

守り役達と比女には、どうも色々なすれ違いがあるらしい。まあ妖の考えは、人の世の常とは違うものだが。

一方若だんなは首を傾《かし》げた。

「あれ新龍さん、どうしてお比女ちゃんが姫神で、天狗達がお比女ちゃんの守りだって、知ってるの？」

何だか色々と心得ているようで、若だんなは少しばかり驚いた。妖が見えるとはいえ、そんな関係まで分かるとは、どういうことなのだろう。聞かれた新龍は両の眉を上げ、とぼけた顔つきをした。

「なんだい、さっき誰かが、そうと言ったじゃないか。若だんなだっけ、お比女ちゃんだっけ？」

「……そうだった？」

また微かな新龍へのいぶかしさが、若だんなの胸の内に湧《わ》いてくる。だがその気持ちは、仁吉がつぶやいた疑問にかき消されて消えていった。仁吉は夜の庭で、残された縄を拾っていた。

「それにしても、天狗にわざわざ縄を解いてもらったとは。勝之進さんは、かの者達と知り合いだったのでしょうか」

その言葉に、新龍が首を振る。

「あいつには、人ならぬ者の知り人はいないよ。どっちかってえ言うと、妙なことには関わらねえようにしているはずだ」

「おや。新龍さんは、お武家の勝之進さんのことまで、ようく心得ているようだ」

誰のことも詳しく知っている人だと、仁吉が首をひねる。

「そういえば先程の騒ぎで、新龍さんはお武家の勝之進さんに『また裏切った』と言ってましたね？」

ちらりと手の内の縄を見る。

「何だか妙ですねえ。新龍さんと勝之進さんは、どういうお知り合いなんですか？」

よく分からぬ者が側にいると、誰を信用していいのか迷う。それは先程、新龍自身が言った言葉だ。

「答えていただけませんか？」

仁吉に顔を見つめられ、月下に立ちすくんだ新龍は、眉間《みけん》に皺《しわ》を寄せた。溜息《ためいき》を漏らす。外に持ってきてしまったらしい木じゃくしを、何度もぶらぶらと振った。しばし溜息を繰り返していたが……じきに顔を上げた。

だがそれでも、直ぐには言葉が出てこない。話すのは気が進まないようであった。

「まあ……どうでも隠さなきゃいけない訳じゃあないんだが」

そうは言う。しかし話し出したとき、新龍は唇をひん曲げていた。

「もう喋《しゃべ》ることも無いと思ってたが……実はな、わっちは以前、勝之進と同じ藩の武士だったのさ」

2

じきに粟粥《あわがゆ》が煮えたので、話は食事を取りながら、囲炉裏端で聞くことになった。若だんなは粟粥を椀《わん》に盛ってもらいつつ、思わず新龍の顔を見つめていた。

(新龍さんは元々雲助じゃ無かったんだ)

並でない迫力を持ち、仲間をまとめている。きっと武道にも長《た》けているに違いなかった。

「勝之進とわっちがいた藩は、小さいところであったよ。武士だったとき、わっち達は日頃の付き合いもあった。禄《ろく》も大して変わらなかったな」

己も熱い粥を食らいつつ、新龍は昔を語った。当時は一生を武士として過ごすと、何の疑いもなく思っていたという。代わり映えはしなくとも、それが親子代々当然のことであった。

「その『当たり前』が、ある一件を境に、あっさり崩れたんだ」

そもそもの始まりは『妖』であった。新龍が怪異を目にしたせいだったのだ。

「わっちの家では昔から時々、妖を見る者が生まれてね」

亡《な》くなった新龍の叔父も、そうであったらしい。雲助となった今なら、他にも時々こういう質《たち》の者がいることが分かっている。例えば箱根神社の神官にも、妖が分かる者はいた。

「先に、わっちを『新龍』と呼び捨てにした神官殿がおられただろう？　あの君さ」

お江戸にも、妖を見る高名な僧がいると聞いた。若だんなもそうだ。幼い子供ならば、もっと多いだろう。

「だが生まれ育った土地では、他にわっちたちのような者のことは聞かなかった。おかげでうちは、祖先の一人が土地神だったとも、狐だったとも噂《うわさ》されてたな」

多くの者がその噂を知っていたが、真偽のほどは新龍にも分からない。とにかく新龍には、魑魅魍魎《ちみもうりょう》が見えたのだ。

「しかし一族でも見る者は希《まれ》だったな。そして万が一見える者が生まれても、決してそのことを口にはするなと、一門の皆は、正月の度に当主から言われていたよ。ろくなことにならぬからと」

そしてそれは、真実であったのだ。

「わっちは今、そのことが身に染《し》みているよ」

新龍は口元を歪めている。

「ある日わっちは、殊更《ことさら》見ようという気も無かったのに、薄気味の悪い影を目にしちまったんだ」

影を背負っていたのは、勝之進の姉お富代《ふよ》であった。たまたま訪ねていった勝之進の屋敷で、新龍はお富代の頭に取り付いた、あやしの影に驚いて顔色を変えたのだ。

そしてそのとき、隣に勝之進がいた。

「わっちの家の噂は、公然の秘密だったからな。勝之進も承知していた」

当時お富代は日々、酷《ひど》い頭痛に悩まされていたという。勝之進はそんな姉を心配していたのだ。

「お富代さんは、綺麗な方だったな」

新龍が懐《なつ》かしそうな声を出す。

「勝之進が、わっちが何を見たのか問いつめてきたんだよ。わっちは……相手がお富代さんだったから黙っておれなくなって、父の戒《いまし》めを破ってしまった。お富代さんに取り付いたあやしの影について、喋っちまったんだ」

勿論《もちろん》、新龍には影を取り払うことは出来なかった。だがこの時は、神社でお祓《はら》いなどしてもらったら、すぐに何とかなったのだ。お富代に取り付いていたのは、大した奇異では無かったらしい。

「お富代さんの頭痛は良くなった。早々に嫁に行ったよ」

無事に事は収まったのだ。

(新龍さんは……お富代さんが好きだったのかな?)

　だが若だんなは、その問いを口にしたりはしなかった。

「ところが、だ。口止めしたのに、勝之進がことの経緯を他で話してしまった。急にお富代さんを神社に連れていったので、親戚《しんせき》に訳を問われたのだ。その話を広めた者がいてな」

　伝わると共に、話は大げさになった。その内、藩の境さえ越えてしまったようだった。巡った噂が藩内に戻ってきたときには、新龍は妖を調伏《ちょうぶく》出来る術者《じゅつしゃ》とされていた。おまけに隣の藩の身分高き者が、噂と一緒にあらわれたのだ。断れぬ頼み事を携えていた。

「そのお武家は、喉元《のどもと》に大きな腫《は》れを作った子を連れてきてな」

　子供の体からは、赤く丸い小さな手鞠《てまり》のようなものが、生えているように見えたという。可哀相《かわいそう》に大分弱っていた。

「親御が、この病は妖魔の仕業故《ゆえ》、退治して欲しいと言い張ったのさ」

　新龍を訪ねて、そうと言っただけでない。隣の藩とは先年揉《も》めたせいもあってか、上役にもきちんと名のって挨拶《あいさつ》をしたのだ。それで話が大きくなってしまった。治せないではすまない。頑張るようにと、上から言葉があった。

「だがなあ。どう見ても何度見ても、子供には妖も鬼も、付いていなかったんだよ」

「子供は本当の病だったのですね？」

若だんなの言葉に、新龍は深く頷《うなず》く。

おかわりの熱い粟粥を、仁吉とお比女と己によそってから、若だんなの椀を見て……木じゃくしを置いた。

「わっちは医者じゃあ無いが、間違いなかったと思う」

病の子は哀れだし、噂話はどんどんと広がっていった。時が過ぎるうち、早く治してやれと、新龍はせき立てられるようになった。

「だがね、本物の術使いじゃあるまいし、わっちではどうにもならなかったのさ」

しかし、なまじお富代を救ったことがあったものだから、無理だと言っても誰も納得してくれない。

じきに父や親類までが、やいのやいのと言われだした。お富代だけが特別なのはどういう訳かと、勝之進まで責められた。打つ手の無いまま、子の容態は悪くなる一方であった。

「そうして、ついに病の子が死んだんだよ。その子の親が怒ってな。藩を預かる方々の間で騒ぎとなった」

叱責《しっせき》は方々に及んだ。他藩の者とのいざこざを、上役が嫌ったからだ。新龍には憶《おぼ》えもない噂が立った。

いわく、隣の藩と先年揉めたから、それ故に新龍は、わざと子を見殺しにしたのではないか。いわく、親子が差し出した金品が、足りなんだのではないか、などだ。

「それで、藩を出されたんですか」

「そいつぁ違うな、若だんな。わっちは己に罪があると、思えなんだ。それに家を出るなど、考えたこともなかったからなあ。そうしたら勝之進や上役だった孫右衛門が、屋敷を訪ねてきたのさ」

二人も騒ぎに巻き込まれ、酷く困った立場に置かれていた。あの日。

「とにかく一旦《いったん》藩から離れてくれと、頭を下げられた」

新龍が消えてくれれば、騒ぎを収めにかかれる。藩の為《ため》だからと。皆も、お富代も助かると。その内時期を見て、新龍が藩に戻れるよう上に頼むからと、孫右衛門は手をついて頼んできたのだ。

「勝之進は元々、勝手な奴でも嫌な奴でも無かった。それが藩の為に出奔してくれ、なんて言い出したんだから、余程周りから責め立てられ困ったんだろうと思ったがね」

新龍一人がここで理不尽を我慢してくれれば、事は収まるから、頼むという。

「そのとき、な。孫右衛門が時々……刀に手をかけていた」

もし断ったら、あの場で切られていたかもしれない。新龍はもう駄目だと分かったのだ。家を捨てる決意をするしかなかった。

「一人夜にまぎれて、藩を出たよ」

そのとき、黙って話を聞いていた仁吉が、横から口を挟んできた。

「……そういういきさつだと、また元の藩に仕官するのは、難しそうに思えますがね」

お比女を膝《ひざ》の上に置いて、じっと新龍を見ている。妖の身で、長く長く世の中を渡ってきたから、嫌と言うほど似たような話を耳にしているのだろう。

新龍が眉尻《まゆじり》を下げ、含み笑いをした。

「そうか、傍目から見たら、戻るなんてぇのは、まずあり得ない話だったのかね」

だが当時の新龍は、友の話を信じたのだ。その言葉に、すがったと言ってもいい。まさか何もかも新龍に押しつけ、事は終わったとばかりに、ほっとする者ばかりだとは思わなかった。思いたくなかったのだ。

それに矢面に立たされていた立場が、苦しかったのは事実だ。一時、逃げたくなったのは、本心だった。

だが。

「家を離れたわっちには、たつきを得る手段が無かった。あっという間に暮らしに困ったんだ」

実家は新龍に仕送りを続けられるほど、裕福ではない。それでも無心するしかない日々が続くと、じきに送金が途切れた。仕方なく友を頼り、親戚に泣きつく。そちらは何度も繰り返しては頼めなかった。

別の仕官の口は驚くほどになかった。かといって、藩を出てきた事情が事情だ。今更戻ることも出来ない。不安が押し寄せて来たときは、既に頼れる縁は皆、切れた後であった。

「気がつけば、かき集めた金も残り少なくなっていてな」

ある日、ついに刀が金子《きんす》に変わった。更に根付けなど、身につけていた僅《わず》かな細工ものまで手放し、金に換えられる物が無くなっていった。

「人はこんなにもたやすく、どうにもならなくなるものかと思ったね」

つい先頃まで、いっぱしの武家面《づら》をしていたものを。その変わりように、呆《あき》れるばかりであったという。

その言葉に、お比女が聞き入っていた。

「後は、残っていた幾らにもならぬ持ち物を手放しつつ、留《とど》まる場所もないまま街道を流れて歩いたよ。その内、食べるに困った。じきに着る物まで古着と交換した。驚いたよ」

食うためにそんなことが出来るとは、その時まで思ってもいなかったのだ。

「格好がみすぼらしくなると、今まで親しげにしていた者達から、顔を背けられた」

もう木賃宿以外の宿屋にも入れない。その頃になると、とても元武士だとは思えなくなった。己でも、だ。

そうしてある日、ついに、とことん飢えてしまった。何日か前から屋根の下で休むことの無くなった体は、疲れ切っていた。新龍は、ぶっ倒れるように道端にうずくまったのだ。空が回って見えた。

「ああ、このまま死ぬんだなと、そう思った」

それ以外の運命が思い浮かばない。何が出来るというあてがない。だから、草の上に転がったままでいた。

丸一日ただそうしていた。すると、目の前に握り飯を置いてくれた者がいたのだ。

「そいつは、街道にいる物貰《ものもら》いだったよ」

新龍が、にたりと笑う。

「わっちは道端の物貰いから、食い物を恵んでもらったのさ！」

昔なら一文二文恵んでやって、その事をさっさと忘れ、通り過ぎていった相手であった。寸《すん》の間《ま》、呆然《ぼうぜん》とした。握り飯を持った手が震えた。惨《みじ》めだと思った。

そうではないか？　その筈《はず》だ。

だが、だが、だが！

「わっちは食べたよ。むさぼり食った。旨《うま》かったぁ。ありがたかった！」

その日を境に新龍から、武家の自尊心の残りかすが、はげ落ちていった。そうなったら、不思議とまた生きる気力が出てきたのだ。体だけは丈夫であったから、じきに雲助に拾われ、駕籠《かご》かきをやりはじめた。飯にありつけるようになった。

生きている。とりあえず、生きている。

そして今の新龍があった。

「妖が見えるっていう奇妙な力は、今はたまに利用させてもらってる。仕事は金次第だ。わっちら雲助は夜、人気のない山道を突っ切ったりするが、山中じゃ、時に驚くような相手に出会うこともあるから」

あの力のおかげで今では、思いもかけない収入にありついたりするのだ。仲間から頼りにされることもある。新龍はそう言って、太い笑いを見せた。

「まあ雲助には結構、いろんな昔を背負っている奴がいるんだよ」

若だんなを見た。

「わっちはそういうもんだ。これで納得したかい？」

新龍が勝之進と再会したのは、つい最近のことだという。朝顔のために若だんなを連れ去るつもりで、勝之進達は箱根に来たのだ。そこで、山駕籠を運ぶ雲助を捜していた。

「わっちと出会ったとき、あいつは要らぬ事を知っている幽霊を見たような顔をしてたな。昔、いずれわっちを藩に戻すと約束したが……そいつは果たされなんだからなあ」

新龍の方は、己でも不思議なほどに、勝之進のことが赤の他人と思えたという。金をはずんでくれたから、雇われてはやった。しかし新龍はもらった金以上に、元いた『藩』に役立つ気はさらさら無かった。

「こちとら生きるに必死なんだ。朝顔になぞ、かまっちゃおれねえよ。まあ、己が昔の話を引きずってないと分かっただけ、あいつに会えて良かったかねえ」

勝之進との関係について、新龍はそう話を締めくくった。

「わっちゃあ金にはがめつい。だが、若だんなを狙《ねら》う事はないわな」

新龍を疑うだけ、時の無駄だと言う。

「勝之進にしてみたところで、妖絡《がら》みの話は、今でも鬼門《きもん》だろう。あの時、嫌な思いはしただろうからな。あいつが妖に何か頼むなんて、考えつかないが」

そうして笑う新龍の顔を、囲炉裏の火がちらちらと照らしていた。

3

「お武家の身分から弾《はじ》き出されちゃったのに、新龍ってば立ち直ったんだ。や、やっぱり強かったんだね」

そのとき早口に、お比女が言った。炉端で新龍が眉を上げ、仁吉の膝に座った小さなお比女に顔を向ける。

「あんなあ、わっちが本当に感心してもらえる程強かったら、そもそも武士を捨てずに済んでいただろうよ」

子供は病を得ていると、きちんと親を説得できたに違いない。いやまず、お富代の妖に驚いたあげく、人に気取られるという間抜けをしなかっただろう。

「で、でも……今はちゃんとこの箱根で、暮らしているし」

「お比女ちゃん、こんな立場となって、やっと分かったがの。生まれてきた者は皆、強いとこも弱いとこも、どっちも身の内に持ってるもんらしい」

だが強いとこを表に出すには、鍛錬がいる。余裕のある暮らしに浸っていると、己のように、突然道端で座り込むはめになったとき、動けなくなったりする。そのまま野に転がる仏になる方が、立ち上がるよりも簡単に思えたのだ。

あの時は。

「しかし助かってみりゃあ、やっぱり生きていた方が楽しいし、うれしいこともあるんだわさ」

苦労は今も山とある。だがいつの間にやら、その事を一緒に愚痴る仲間が出来た。安酒も旨い。皆の小屋を建てるという、夢さえあるのだ。

「わっちが特別なんじゃァねえよ。雲助にゃあ、動けるのに野垂《のた》れ死にする奴ぁ、いないんだわ。大概、心底困り切って、この仕事に流れついてきた奴ばかりだからかねえ。悩んでいる暇はねえのさ」

とにかく皆、ただ必死に毎日を生きているのだ。

その言葉に、お比女が俯《うつむ》いた。悩む余裕があると言われた気がしたのだろう。確かにそれは事実であったから。

(元々はお比女ちゃん、活発な子だって気がするんだけど)

なのに時々今のように、泣きそうな様子を見せる。身を小さくしてうずくまる。若だんなはちらりとその横顔を見た。

(お比女ちゃんは、神の庭に引きこもって寝てばかりいた時が、何百年もあるというからなあ)

元々山神の血を引く者として、生まれた村の皆から、いささか浮いていたのだろう。その村からさえ離れ寝込んでいる内に、益々《ますます》人と距離が取れなくなったのだ。あげく唯一《ゆいいつ》の頼りである父神のことすら、怖くなって怯《おび》えている。

(今は多分……お比女ちゃん自身が、一番よくその情けなさを知ってて、悩んでいるのかも)

世間とずれてしまう感覚は、若だんなには馴染《なじ》みのものだ。

(私だって、かくあるべき大店《おおだな》の若だんなには、なれていない)

当の若だんなが、それを歯がゆいと思っても……では明日から、いや今から己が変われるかというと、そんなに都合良い話にはならないのだ。

怖い。腹が立つ。情けない。みっともない。だからなんだ。でも、でもでもでも。思いばかりが重なる。呑《の》み込みきれずに溢《あふ》れ出す。

（みんな、似ているねえ……）

お比女はどっぷりと悩んでいるときに、妖の血を引く若だんなが、箱根に来ると知ったのだ。江戸の町で上手《うま》く暮らしていると噂を聞き、厭《いと》うた。

（己にはこなせぬことを、私がしているように見えたのかね）

それでも今、この小屋で共にいるのは、若だんなの引く人ならぬ血のおかげかもしれなかった。烏天狗《からすてんぐ》の守り役達とのように楽に話せるからだ。最初にお比女の口を開かせた、鳴家達のお手柄だろう。だが、そんな若だんなのことをも、お比女は時々腹を立てている。

（相手のあることは、何事も注文通りにはいかないから）

きっと若だんなの返事は、時々お比女の考えと違っているのだ。だから不機嫌になって、若だんなに突っかかる。

『分かってよ』と思い、『分かってくれぬ』とすねる。涙する。

（ああ、同じだ）

若だんなは小さく笑った。何だか兄や達とのやりとりと、同じようだと思ったのだ。お比女の気持ちを、肌に染《し》みて感じる。

でも……しかし。

（姫神たるお比女ちゃんは、私とは立場が違う。これからどうしたら良いのか）

若だんなは袖《そで》の中の鳴家を撫《な》でつつ、思案げにお比女を見た。お比女は下を向いたままだ。新龍は頬杖《ほおづえ》を突いている。仁吉は何故《なぜ》だか、部屋の隅の煎餅布団《せんべいぶとん》に目をやっている。

座が一時、静かになった。すると案の定というか、仁吉が若だんなに、そろそろ寝ろと言ってくる。明日天狗と会うつもりならば、朝は早いのだ。

ところがそのとき、お比女がおずおずと声をかけてきた。

「あの、明日佐助さんを取り戻したら、若だんなは江戸へ帰るんでしょ？」

頷《うなず》く。するとお比女は頼み込んできた。

「ねえ、本当に私も連れて行ってくれないかな？」

これには仁吉が驚きの声を上げる。

「止めて下さい。それこそ山神様に若だんなが叱《しか》られます」

お比女はこの地の姫神なのだから。この言葉に、お比女がふくれ面となって下を向く。

「だ、だって……ここにいても、私は役には立ってないのに」

なのに、ここを離れてはいけないなど、おかしいではないか。若だんなは首を傾《かし》げて尋ねた。

「お比女ちゃん、知らない町であるお江戸へ、どうして行きたいの？」

「ただ、行ってみたいの！」

お比女は頑固だ。

（この箱根にいたくないだけなのかな。もう一度ここで立ち上がるのが嫌なのかな？　飢えて道端に転がった時の新龍さんのように、気力がでないのかも）

とにかく疲れたのかもしれない。

（でも今は……）

同行は出来ないと思う。だが、ただ江戸に来てはいけないと言ったところで、お比女は納得しないだろう。若だんなは少し考え込んだ。

それから懐《ふところ》に手を入れると、またまた鳴家をつまみ出す。この子と、拳《けん》で勝負しようと言い出した。

「紙は石より強い。石は鋏《はさみ》より強い。鋏は紙より強い。この拳勝負で鳴家に二回勝った方が、意見を通すとしよう」

お比女が勝って若だんなが負けたら、江戸へ連れて行くと約束する。

「えっ？　な、何で鳴家となの？」

お比女が驚いている間に、若だんなは鳴家を前に置き、急いで拳勝負を始めてしまった。新龍が、思い切り面白げな顔をして二人を見ている。鳴家は、「一番、一番ーっ」と言い出して張り切っている。つまり拳に負けるつもりは、全く無さそうであった。

「いくよっ、そうれっ」

いち、にの、さんっと言ってから、若だんなと鳴家が囲炉裏の横で拳を出す。

「紙、石」

若だんなの勝ちだ。

「そうれ次。紙、紙、引き分けだ。そうれっ、紙、石。や、決まった」

若だんながにこりと笑って、片手を上げる。勝負があった。

「次はお比女ちゃんだね」

お比女は真剣な顔つきとなった。鳴家も今度こそと張り切っている。小屋内の目が一つ所に集まった。

「いち、にの、さんっ。鋏、石」

まず鳴家の勝ちだ。

「そうれっ、紙、紙」

引き分け。だが次は。

「鋏、石。鳴家の勝ち！」

「きゅわわーっ」

嬉《うれ》しそうな声が上がる。勝負は決まってしまった。お比女の顔が半泣きとなる。若だんなは息をつくと、拳の相手をした鳴家を抱き上げ、お比女に渡した。

「とにかくここには一度帰ってくるから、お比女ちゃん、それまで鳴家と遊んでいて」

鳴家は小さな手で、泣きべそをかいたお比女の顔を撫でている。

「若だんな、勝負強いねぇ」

新龍が思い切り、にたぁと笑った。仁吉はすました顔で、若だんなを急《せ》かした。

「さあ、勝負はついたようですから、もう寝て下さい。明け方に烏天狗達の所へお行きになるつもりなら、休まないと。さもないと若だんなも勝之進さんのように縛り上げて、この小屋に置いていきますよ」

若だんなを布団の中に追い込む。若だんなは大人《おとな》しく寝ると、囲炉裏近くにいる新龍に、夜着《よぎ》の下から声をかけた。

「新龍さん、我らが留守にしている間、お比女ちゃんをお願いします」

お比女は姫神だ。一人にするのは危なっかしい。すると新龍は、さっと手のひらを仁吉の前に突き出した。

「何であたしが？」

仁吉は渋い顔をしたが、手は引っ込まない。

「お比女ちゃんを、この『雲助の小屋』に置いていきたいんだろう？」

「分かりましたよ。守り代を払います」

手のひらに、輝く金の粒がいくつか乗った。新龍がぐっと上機嫌となる。

「こいつぁ気前の良いことで。うんうん、ちゃんと子守をするからな」

（千歳の子の子守？）

若だんなは布団から首を出し、ちらりとお比女を見た。怒っているのではないかと思ったのだ。だがお比女は、先程の勝負にまだ納得いかないのか、一人で拳を色々出して考え込んでいる。

そうしている間に、若だんなはぐっと眠たくなってきた。旅先でいつもより動いているせいか、横になると目を開けていられない。やはりというか、箱根に来たというのに、とんと療養にも湯治《とうじ》にもなっていない気がする。ちっとも強くなっていない。

（お湯に入っていないから、当たりまえか）

勿論《もちろん》、色々あったから、今日は特別に疲れているのだろうが……。

「仁吉、明日の朝……」

起こして欲しいと頼もうと、兄やの名を呼んでみる。しかし、その声すら口から出たかどうか心許《こころもと》ないまま、夢の中に引き込まれてしまった。

4

翌日の明け六つ時。

若だんなと仁吉は、薄明るい野を芦ノ湖の方へと下っていた。明け六つは、いつの季節でも夜明けと決まっている。空が明らんで風景が夜から抜けだしてゆく刻限だ。木も草も、光と共に新たに生えてきたかのようだ。

天狗と待ち合わせた場所は、箱根神社であった。もっとも新龍に建物の名を聞いたら、神社にそんな所があったかなと、首を傾げていた。だから人ならぬ天狗がいるのは、神社の中にあっても、うつつとは少々ずれた場所なのかもしれない。

「天狗達は山神様にお仕えしております。そういうこともあるでしょうよ」

仁吉はそんな不可思議な話に、あっさりと納得している。若だんなは首を傾げた。

（昔、見越《みこし》の入道様が、荼枳尼天《だきにてん》様の庭から『桃色の雲』を取ってきて下さったよね。もしかしたらその庭も、見知ったどこかの境内と、繋《つな》がっているのかな）

草をかき分け、芦ノ湖畔に出る。それから、杉林に挟まれた階段に行き着き、二人で上ってゆく。途中で仁吉がにやりと笑った。

「若だんな、昨日無理矢理、姫神を箱根に留めましたね。珍しくも強引なやり方でしたが」

鳴家との拳勝負には、仕掛けがあったのだろうと言う。

「あれ、気がついてたの」

若だんなが、少しばかり舌を出した。昨夜お比女と直《じか》に拳をせず、間に鳴家を立てたのには訳があったのだ。何故なら長崎屋の鳴家は指の形のせいか、鋏の拳を作りにくいらしく、あまり出さない。その事を若だんなは心得ていたのであった。

「お比女ちゃんが、本心江戸に来たいのか、どうも分からなかったし。それに今日は、天狗達と大事な話をしなきゃならない。それをお比女ちゃんに、聞かれたく無いんだよ」

一緒にお江戸へ来るなどという話になれば、お比女は今日この神社にも、ついて来たかもしれない。それでは困るが、まさか当人にはそうとは言えない。だから若だんなは、あんな仕掛けをしたのだ。

だがその言葉を聞いた仁吉は、別の心配をしていた。

「本当に天狗達に用があるんですか？　ですが、あ奴らは話をするどころか、早々に若だんなを襲ってくるかもしれません。気をつけて下さいまし」

「頼むから、仁吉の方から争い事を起こさないでおくれよ」

どうしても、天狗としておきたい話があるのだ。そう言う若だんなに、仁吉がもの問いたげな顔をする。

「一体、今さら何を？」

その時。足の下から、突き上げられるような感触がした。一寸《ちょつと》話が途切れる。

「地震？」

仁吉にさっと体を支えられ、若だんなは石段の途中にしゃがみ込む。大した揺れでは無かったものの、今までのものとはいささか違う弾むような揺れに、若だんなは眉《まゆ》を顰《ひそ》めた。溜息《ためいき》をつく。

「やれ、機嫌が悪いのかな」

「山神様が、ですか？」

仁吉が首を傾げた。その問いを聞き、若だんなが仁吉の顔を覗《のぞ》き込む。日頃の子供扱いを撥《は》ね返すのはここぞと、大人っぽい分別くさい顔をした。

「おや、地震の理由に、まだ気がついていないの？　先だってから、はっきりとしてきているじゃないか」

「は？」

どうやら仁吉は本当に、察しがついていないらしい。いや、若だんなの健康と安泰に関係ないと思うと、考えの内から吹っ飛んでしまうのか。若だんなは説明をしようと、口を開きかけた。

ところが。向きあって見ていたはずの仁吉の顔が、突然笹《ささ》の葉に変わった。

「あれ？　頭が……地面の方を向いている」

寸の間、何が起こったのか分からなかった。直《す》ぐに体が横に立つ大木の間に突っ込んで、己がどうなっているかを知った。仁吉が若だんなを抱え、階段から木の間に飛んだのだ。

「どうして……」

言いかけた口を仁吉に塞《ふさ》がれる。茂みの陰に身を潜めていると、先程までいた階段を、大きな影が転げ落ちていく。天狗達であった。

（うわっ、何人もいるよ）

石段で思い切り体を打ち、痛そうだ。だが直ぐに立ち直り、階段の上へ飛んで戻ってゆく。

「早々に争いが始まってるよ。どうして？」

そう漏らした途端、落ちてきた天狗《てんぐ》の一人がこちらを見つけてしまった。猛然と突っ込んでくる。それを右手の一撃で、仁吉が地面に叩《たた》き付けた。

「うちの若だんなに向かって、杖を振り回すんじゃないよ！」

仁吉は黒目を、猫のように細くしている。それから顔を、ふと階段の上へ向けた。

「境内の方で佐助の声がしますよ。どうやらあいつ、大人しく天狗達に捕まっちゃあいなかったようです」

人質が勝手に逃げ出し、ひと騒動起こしているという訳だ。

「それは良かった……のかな？」

仁吉もしかめ面《つら》をしている。きっと仁吉は若だんなを、もっと争い事から離れた危なくない辺りで、留めておくつもりだったのだろう。

「私は天狗と話があるんだよ。ねえ仁吉、とにかく一旦《いったん》でも、あれを止められないものかな？」

若だんなの言葉に、剣呑《けんのん》な雰囲気を身にまとった仁吉が、眉を顰める。じきに、にやりと笑いかけてきた。

「ねえ若だんな、さっさと天狗達を伸《の》してしまった方が、事が簡単ですよ」

「やっつけちゃったら、話が出来ないじゃないか！」

仁吉は大仰に溜息をついて立ち上がった。面倒くさい、などとぶつぶつ言っている。

「いいですか、ちゃんと隠れているんですよ。絶対に無理、無茶、無謀は駄目です。分かってますね？」

くどいほどに念を押してから、仁吉は階段へと向かう。

「しょうがありませんねえ。若だんなを優しいお子に育てたのは、あたしたちだし」

こういうときだけ、もっと武闘派にすれば良かったと、言わんばかりだ。

（私が長崎屋の離れで、木刀を持って素振りをしたら、絶対に直ぐ取り上げるくせに）

それでも兄や達を頼らなくては、激高した天狗達を止めようもない。己だとて少しは妖の血を引いているはずなのに、こういうとき役に立たぬこと甚だしい。とにかく見つからぬように、大人しくしているしかない。

「はあ……」

笹の中に身を埋めつつ、若だんなは溜息をついた。そのとき、また「ずん」と突き上げる揺れがあった。袖《そで》の中で、鳴家がぴいぴいと声を上げる。かたかたと震えている。

「大丈夫だよ」

優しく頭を撫《な》でて……若だんなは手を止めた。

「あれ？　何で鳴家が今、袖の内にいるのかしら」

三匹箱根に連れてきた内、一匹は今、お比女のところにいる。一匹は佐助に預けた。

(後の一匹は出奔中。もしかしたら佐助と一緒にいるのかなと、思ってたけど……)

その内二匹が、何故《なぜ》か若だんなの袖にいる。

(つまり、その……)

顔が強《こわ》ばってくるのを感じる。背中の方で何かが揺れた。ひやりとするこれは、悪寒《おかん》なのか。

「まずいっ」

声と共に地面に突っ伏した。その頭の上が、すごい勢いでなぎ払われる。

「ひえっ」

先へと必死で転がった。体の後ろの地面に、突き刺さったものがある。杖《つえ》だった。

それが直ぐに、真っ二つに折られる。

「若だんなっ」

佐助の声がした。やはり近くにいて、天狗と争っていたのだ。一緒にいた鳴家達が若だんなの姿を見つけ、佐助から移ってきたに違いない。

「何でこんな所にいるんです？　早く逃げて下さい。仁吉はどこです？」

闘いながら、あの阿呆《あほう》、何をやってると佐助が怒っている。若だんなは後で兄や達がどんな話をするのかと、頭を抱えたい気分だ。とにかく慌《あわ》てて笹の間を駆け出した。

だが……逃げる足が止まった。

目の前に何かが落ちてきて、行く先が塞がれたからだ。顔を上へ上へと向けて見る。

雲衝《つ》くように大きな天狗が、こちらを見下ろしていた。後ろでは先程杖を振り回した天狗と、佐助が争っている。

（どちらにも逃げられない）

そう思ったときには、喉元《のどもと》を物凄《ものすご》く太い、しめ縄のような手で摑《つか》まれていた。持ち上げられ、足が地から離れる。苦しい。一応手を振って、じたばたしてみる。だが、逃れられるはずもなかった。

（拙《まず》い……）

悲惨な成り行きだ。息すら苦しい。咳《せ》き込むことも上手《うま》く出来ない。

（もしかしたら、ここで死ぬのかな）

養生に来た筈《はず》だったのに、とんだ結末だ。だが若だんなは、妙に冷静そうに見える大天狗に、必死に話しかけた。

「お比女……ちゃんのことが、心配で、こんな事をしているんでしょう？」

天狗達はお比女の守りなのだから。その言葉を聞いて、今にも若だんなを引き裂きそうに見えた天狗は、一寸手を止めた。それを逃さず若だんなは話を続ける。その為《ため》に、今日この場所へきたのだから。

もっとも、こんな苦しい格好で天狗と対面しようとは、思いもしなかったが。

「お比女ちゃんを……落ち着かせるために……一緒に、話そうと」

途端、がくんと体が揺さぶられた。若だんなを摑んで睨《にら》む大天狗の顔が、強ばっているように見える。大きな嘴《くちばし》があって分かりにくいが、多分。

その口が吼《ほ》えた。

「姫神様は、神なのだ。妖の血が混じったくらいのお前なぞに、何が分かる！」

「そりゃお比女ちゃんの力は、地の形、湖の形を変えたと言われる、父神様にも比すのだろうけど」

しかし。今のお比女は己にその覚えが無い。姫神であるにもかかわらず、自信すらない。身の内に備わったものを分かっていない。

ただ、己の危うい所ばかりを見つめている。嘆いている。震えている。当人が己を否定しているのだ。

「それ故に一層、事は危ういと……」

「うるさい若造！　お前など、箱根に来なければ良かったのだ！」

ぐいと天狗の眼前に引き寄せられた。拳《こぶし》一つ先から、物凄い目と向き合う事となる。睨まれる。はき出すように言われた。

「そもそも古《いにしえ》の、あの村の者達が悪いのだ。あ奴らはこの地に、湖を埋めてしまう程の災いを引き寄せた。己らの幸ばかり願ってあんな非道をしなければ、姫神様は、ああも気弱になったりはせなんだわ！」

おかげで何もかもが怖くなったお比女は、長く寝てばかりいた。目覚めて、やっと落ち着いたと思ったら、今度は箱根にやって来た『若だんな』の話を聞き、酷《ひど》く迷い始める。同じような立場なのに、お比女は若だんなのようにはいかぬと嘆く。

「もう姫神でいたくない、などと言われたことすらある。神の力が……そう簡単に、湧《わ》いたり引っ込んだりするものか！」

心配すると、天狗達にも怒りをぶつけてくる。お比女が久しぶりに山神の所から出たと思ったら、若だんな達と留まり、帰ってこなくなった。

地震が続いていると言うのに！

「このままでは……どうにもならぬ！」

苦々しげな天狗の言葉の中に、隠しようのないお比女への情が潜んでいる。それは若だんなが兄や達から、日頃聞かされている口調であった。大事、大事と思うから、どうにも出てきてしまう焦《あせ》りが目の前にあった。

「だから……私を取り除こうという訳ですか。じゃあ昨夜、人である勝之進さんを解き放したのはどうして？」

若だんなの突然の問いに、大天狗は少し手元を緩めた。口元が歪《ゆが》んでいる。笑っているのだろうか。

「なに、侍が村をうろついて、珍かな朝顔のことを聞き回っていると聞いていたのでな。だから花のことを教えてやったら、見に行きたいと言う。それで縄を解いたままでさ」

「え？　朝顔って……？」

若だんなははっとして、顔を天狗に向ける。

「それは地下の水門にあるという朝顔のことですか？　勝之進さんに、どういう風に言ったんです？　妙なことになったら、お比女ちゃんがまた嘆く」

「うるさい。大朝顔の蔓《つる》の先には、小さくなったものがあると教えたまでだわ」

天狗によると、大朝顔は水門を縛り、守っているだけでなく、水脈に沿って蔓を伸ばし、最後には水の噴き出し口に顔を出し、その場を支えている。つまり、たまに、地上にその姿を現していることもあるのだ。はるか水門から離れた先にある葉は、並のもののように小さくなっていたりするらしい。

「蔓の先が地に着き、そこから根が生え出ていることもあるぞ。もしかしたら、そこに花がつくやもしれぬな」

大天狗は勝之進に、そう教えてやったのだ。

若だんなの顔から血の気が引く。今度は天狗に締め上げられているからではなかった。

「箱根の水門を縛っている朝顔……もし切ってしまったら、どうなるのですか？」

たとえ水脈の端とはいえ、わざわざ神が守っているものだ。人がそれに手を出したら、何が起こるのだろう。

「さてな。我は朝顔のことを、ちゃんと説明したぞ。大切な花だと。水の守なのだ。もし切れたら村人の命が、かかるほどのものだとな」

大体、湯が溢《あふ》れ水量も豊かな、箱根の地下水門を縛っている朝顔なのだ。その要《かなめ》の支えを取ってしまったらどうなるか、子供でなければ容易に考えつく話だという。

だが。そう言いつつ天狗が浮かべた笑いは、何とも恐ろしい。胸元を締め付けられるような、怖いような笑い方であった。

(天狗達は怒っているんだ……)

ここにきてお比女の心を揺らしている若だんなだけでなく、古の出来事故《ゆえ》に、まだ人をも許していない。あの事実が未《いま》だに、お比女を苦しめているせいだろう。

(どうしよう……問題が増えてしまった)

ただでさえ、既に持て余し気味であるのに。こうして手も足も出ず、情けない思いをしているのに。

そのとき、ふと思い出されるものがあった。

(さっき感じた、あの変な地震……)

最近揺れることが多いから、少しばかり変わっていると感じても、大して気にはかけなかったが。

(でも、もしかしたらあれは……)

どきりと心《しん》の臓《ぞう》が鳴った。

すると。

それに合わせるかのように、袖の中で縮こまっていた鳴家が、「きゅわわっ」と小さな声を出して動いた。直《す》ぐに他からもう一つ、鳴き声がする。袖が動いた。一寸《ちょっと》、若だんなは話すのを止めた。それから大きく目を見開くと、急いで出来うる限り、あちこちを見回す。

「いけない……天狗殿、話を止めて下さい。拙い。今は、とにかくそのっ、拙い」

「己から話し出したくせに、何を言うか。我に命令をするなっ！」

眼前に怒りの形相があった。懇願する若だんなの身を、大天狗が腕一本で頭よりも高く振り上げる。余りにも軽々と。

（木に……叩き付ける気か！）

目を瞑《つむ》った。

5

「ごっ」と鈍い音がした。

見開いた目の前一面に、真っ赤な色が広がっていた。そして、まだしっかりと天狗に胸倉を掴まれているのに、体が飛んでいる。

天狗の顔が、離れて行く。落ちる……。背中から誰かに受け止められた。

「佐助」

既に争っていた相手の姿は無い。目を落とすと若だんなの胸元を、大きな天狗の手がまだ握りしめていた。

肘《ひじ》の下から切り取られたまま。

「ひえっ……」

見れば先程の天狗が、少し先の大木の前で、血まみれの腕を押さえて立っている。その脇《わき》に、短い道中刀を構えた仁吉がいた。

ぐらりと地が揺れた。

だが転ぶようなものでは無かったから、誰も声一つ出さない。しかし笹がざわめいて、他の天狗が集まってきていると分かる。朝の山の中に、火縄に火を付けてしまった火縄銃のような剣呑《けんのん》さが満ちてゆく。

（あ……あ、拙い……）

声一つ出したら、叫びになりそうな張りつめた感じがある。それを合図に、双方がぶつかり合ってしまいそうだ。そうなったら天狗達は、もはや言葉で止まるまい。

(でも、どうでも何とか収めないと。もし、もしこのままぶつかったら。いや、天狗が余計なことを喋《しゃべ》ったら)

争い事になるだけでは済まない。どう言えばこの危うさを分かって貰《もら》えるだろうか。相手へ下手《へた》な注意が出来ないのが苦しい。

(きっと聞こえてしまう)

若だんなは佐助に寄りかかったまま、そっと辺りに目をやった。

その拍子に胸元から、ごろりと大きな腕が落ちる。

(うっ)

いつもの若だんななら、その血の匂《にお》いに、気分を悪くしたかもしれない。だが今日は、この時だけは、それに構ってはおられなかった。仁吉が僅《わず》かに、天狗との間合いをつめている。

(今、袖の中に鳴家が……三匹いるんだよ)

二匹は先程佐助の所から帰ってきた。

(つまりつい今し方、袖に入って来た残りの一匹は……この子は……)

目で捜すが、朝の木立の中はまだ影も多く、見渡せない。だがその時、若だんなは足の下に、ゆっくりとした揺れを感じた。

（どうしよう……）

顔が強《こわ》ばってくる。

（頼むから双方、もう暫《しばら》く止まっていてくれ）

その間に早く、早く見つけなくては。

ところがその時、大天狗がまた話し始めた。

「お前らが悪いのだ。人が悪いのだ。なのに、なのにこのままでは……大事な姫神様が」

「やめて下さいっ」

若だんなが思わず必死の大声を出す。だが、天狗の声は止まらない。

「姫神様が、山神様にお叱《しか》りを受けてしまう！　人のせいだ！　若だんなのせいだ！」

「は？　若だんなが、姫神様に何をしたって言うんだ」

隙《すき》無く身構えながら、仁吉が天狗に問う。

（止められない）

唇を噛《か》んだ。

「昨今の地震は、姫神様が起こしている。己で気づいておられないだけだ。若だんなが姫神様の心を乱したせいだ！　人のせいだ！」

姫神様はこの地にまた、大きな地震を起こすかもしれない。今度こそ、芦ノ湖を半分埋めたという、古の災害に匹敵するものになるのだろうか。そう天狗が口にした途端。

「ひくっ」

しゃっくりのような、短く息を呑《の》む声がした。

「いた！」

若だんなはやっと居場所を摑《つか》んだ。立ち上がり、確かめる。大天狗でも隠れられそうな杉の大木の後ろに、身を半分隠すようにして、お比女が立っていた。やって来ていたのだ。

「ひくっ……ひっく」

目を見開いている。言葉が震えている。

「だ、だって、だってあれは……地震は、ち、父神様が怒って起こしているんだと」

箱根の宿では、皆がそう言っていた。大体お比女は、役立たずの寝てばかり。人だか姫神だか分からないものなのだ。

それが……それが……。

ずどん、と、足に突き上げが来た。

「うっ」

今までの揺れ方とは違う。地響きのような音が重かった。地の底で鋼《はがね》の大太鼓を叩《たた》いているようだ。音に殴り付けるような力がある。

「お比女ちゃん、落ち着いて。話があるんだ。だから、だから」

若だんなの呼びかけは、お比女の耳を素通りして、聞こえていないかのようだ。目が瞬《まばた》きをしていない。口元が震えている。

「お比女ちゃんっ」

地鳴りは大きさを増し、音と共に恐れを連れて来た。天狗が飛び立とうと身構えている。もう、誰も戦いの構えなど取っていなかった。比女と目が合う。泣きべそをかいている。

(もう……止められないか?)

比女にすら、己を収めるすべは無いのかもしれない。汗が若だんなの額をつたう。

(もう……)

「大きいっ!」

仁吉の声を聞いた途端、足の下がぐいと持ち上がった。一寸、体が浮き上がる。

「若だんなっ」

悲鳴のような兄や達の声を聞いたように思った。

あとは……。

あとは……。

六　地獄谷

1

地鳴りと共に、灌木《かんぼく》や笹《ささ》が、坂の下へと歩むがごとくずり落ち始めた。

地底から湧《わ》き上がる大太鼓のような響きは、強くなりまた弱まる。神社の階段脇《わき》の山が、不気味な響きと共にうごめいているかのようであった。

「お比女《ひめ》ちゃんっ、落ち着いて！」

若だんながかけた声に、お比女は答えない。

（このままじゃ、お比女ちゃんが起こした地震で、山が丸ごと崩壊しそうだ）

大揺れで地にいることが出来ず、天狗《てんぐ》達が次々と空に飛び上がる。片手を落とされた蒼天坊《そうてんぼう》が、仁吉も己《おのれ》の手も無視して、急ぎお比女の元へと向かった。一段と揺れる。

「わわっ」

神社へ通じる階段の石と共に、若だんなが斜面を転げ落ちそうになる。襟首を慌《あわ》てて佐助が摑《つか》み、小脇に抱え込んだ。蒼天坊の手が、目の前から坂下へ落ちていく。そのとき背後から、低い悲鳴が聞こえた。

「ひええっ、こりゃたまらんっ」

聞き慣れた声の方へ若だんなが目をやると、新龍《しんたつ》が坂途中の木に、必死にしがみついている。珍しくも慌て、顔を強《こわ》ばらせているのだ。刀を収めた仁吉がそれを見て、新龍に向け不機嫌な声をかけた。

「こら新龍、姫神と小屋にいる筈《はず》ではなかったのか。どうしてこの場にお連れしたのだ？」

「わっちに聞かないでおくれな。お比女ちゃんが言うには、鳴家《やなり》との、拳《けん》勝負のからくりが解けたとか」

それでどうでも若だんなに文句を言うのだと、小屋を出たらしいのだ。姫神が本気で行動したら、それを止める力など新龍には無い。

「それでも一人で行かせたんじゃ、心配だ。わっちは良き雲助《くもすけ》だから、わわ、落ちるっ……こうしてお比女ちゃんの後を追ってきたのさ。何と優しく律儀《りちぎ》なことだろう。なあ」

ぐらりふらりと、立つこともままならぬ程身を揺さぶられているというのに、新龍は己を褒めまくっている。その目の前に仁吉がすばやく近づき、掌《てのひら》を突きつけた。

「この役立たずが。子守代を返せ！」

「こんな大地震の最中に、金勘定かい？　それどころじゃ……うわっ」

揺れがまた一段と大きくなって、木が根本から倒れた。共に吹っ飛びかけた新龍の体を、仁吉は面倒くさそうに止める。横にどんと置いた後で、若だんなと佐助を振り返った。

「揺れ続けたら、山全体が崩れ落ちるかもしれません。ここを離れなくては」

「お比女ちゃんを、放っておけないよ。それにこのままじゃ、大事になる」

もし山が火を噴けば、噴き上げる灰で空は翳《かげ》り、箱根だけでなく、遥《はる》かお江戸にまで厄災が及ぶだろう。若だんなの言葉に、佐助が眉根《まゆね》を寄せた。

「そうなれば長崎屋の離れで、ゆっくり休むことも出来ないよ。だから、無事にこの場から逃れるだけでは駄目だ。お比女ちゃんを落ち着かせ、この揺れを止めなきゃ」

若だんなは旅の前に江戸で、己が地震を収めなくてはならないという夢を見た。きっと今がそのときなのだ。

「確かにそうですが、相手は姫神です。若だんな、どうやって止めようっていうんです？」

「思いつくことは、とにかく全部やってみるよ！ その前に……」

近くにいる新龍に声をかけた。

「今落ちて行った天狗の片手を見たかい？ あれを拾っておいてくれな。お金のことはもういいから」

「手？ わ、分かった！ 任せておけ」

返金しなくて良いと言われると、新龍は上機嫌となって、身を揺らしつつ斜面を下っていく。地震は強まったり弱まったりしながら、一向に収まらない。今にも大爆発しそうで、不安を含んだままだ。

若だんなは佐助に頼み込む。

「とにかくお比女ちゃんの側《そば》に、連れていっておくれな」

仁吉と佐助が、不機嫌そうに目を見交わす。揃《そろ》って、ぶつぶつと言った。

「そんな無理をすると、きっと後々、体を壊してしまいます。寝込みますよぉ」

「ああ、そうだ、そうだ、そうだ」

「こりゃ、とっときの薬を用意しておかねば」

「ああ、とびきり濃い、苦いやつを」

「仁吉！ 佐助！」

強く促すと、佐助は渋々、若だんなを背に負い直した。揺れる山を木から木へ、半ば飛ぶように歩く。お比女は神社へ向かう階段の、一番上に近い木立の間にいるのだ。仁吉も若だんなの側を離れることなく、付いてくる。

近くに蒼天坊が立っているが、お比女はその顔も見ていない。若だんなは佐助に、坂の上へ回り込んでもらった。そこから下に立つお比女へと、精一杯の大声を送る。

「お比女ちゃん、気を静めて。このままじゃ、ここいら一帯に山津波が起こる！」

そうして大勢が亡《な》くなったら、傷つくのは当のお比女なのだ。だが応《こた》えは無かった。

（聞こえていない感じだ……）

若だんなは唇を噛《か》むと袖《そで》の中に手をやり、次の手を出した。鳴家達だ。

「お願いだよ、お前達。いつかみたいに、お比女ちゃんを笑わせておくれ。そうして正気に返してあげておくれな」

くすぐっておいでと言って、下へ送り出す。鳴家達が勇んで飛び出した。

「きゅわーっきゅ」

（笑い声でいい。一声出してくれれば……落ち着いて話が出来るかもしれない）

ところが。

三匹はお比女をくすぐることが出来なかった。木や笹を伝わって斜面を降りていったのだが、やっと近寄ったと思ったら、お比女にあっさり手で払われてしまったのだ。

「ぴーっ……」

皆半泣きで、早々に退散してくる。

「駄目か」

若だんなは溜息《ためいき》をついて、佐助の背から一旦《いったん》降りた。揺れる坂をせっせと上って来る鳴家達を、拾おうとしたのだ。

だが。斜面に立ったとき、どんっという音と共に大揺れが起こった。足がすくわれる。

「あっ……」

声を出した時には、若だんなの体は斜面を転がりだしていた。揺れ続ける地の上に転倒し、直《す》ぐに鳴家達を巻き込んでしまう。

「若だんなっ！」

兄《にい》や達の悲鳴が聞こえた。だが若だんなにも小鬼にも、身を止めることが出来ない。小枝をへし折り葉を身にまぶして、ただ落ちる。

「ぎょぴーっ」

必死の形相の兄や達が後を追ってくる。手を伸ばしてきた。そこを、更なる大揺れの波が襲った。

「あっ」兄や達まで膝《ひざ》から崩れた。一同は固まりとなって転がる。目の前がぐるりと回るばかりだ。もうどうにも出来ない。何も分からなくなる。

お比女の方へと一直線に落ちる。

「危ない、あぶなっ、ないっ！」

「とっ、止めろ！」

若だんなの叫びと、引きつった下からの声が重なる。枝を折る音が混じった。

（駄目だっ）

そのとき！　何かにぶつかり、落下がぴたりと止まった。不思議と柔らかく支えられた気がした。首を回すと、若だんなを庇《かば》っている佐助の下に、別人の手が見える。

（何と、天狗達だ！）

どうやら守《も》り達が庇ったので、お比女を巻き込まずに済んだようであった。

「た、助かった」

若だんなは思わずほっと息をつく。兄や達が急いで身を起こしている。

だが……不可思議なことに、目の前の天狗達の顔が急に離れ出した。その顔が段々に引きつってくる。何故《なぜ》だかまた、若だんなの体が揺れる。突然、前につんのめった。

（えっ？）

足元の斜面が崩れたのだ！

「きゃあああっ」

あっという間に、お比女も大天狗も巻き込む。そのまま敵も味方も無くなり、皆は大きな団子と化けた。木や土や数多《あまた》の葉、虫と共に、坂の下までただ転がっていった。

2

落ちてぶつかって、止まった。

一同を止めたのは、坂下に生えていた杉の巨木であった。

気がつけば若だんなやお比女は、たくさんの天狗達が下敷きになった上に乗ってい た。ふわりとした羽のおかげか、身を酷《ひど》く打ったり潰《つぶ》れたりせずに済んでいる。しかし、それでも若だんなは顔色を蒼《あお》くしていた。

「げほっ、ぐほっ……」

そして大地震は、いつの間にか止まっていた。さすがのお比女も、その身が山から転げ落ちていたのでは、地震を起こす余裕が無かったらしい。

（や、やった！）

落下から無事であったことを御仏《みほとけ》に感謝すべきか、お比女の起こした厄災から救われたと言うべきか。心よりほっとした。だが体のあちこちがきしんで痛い。

（とにかく地震を、一旦止めることが出来たみたいだよ）

「若だんなっ」

「比女様！」

すぐに心配げな声がして、若だんなはつまみ上げられ、兄や達に怪我《けが》の有無を調べられる。仁吉が急ぎ革袋《かわぶくろ》から薬を取り出した。

一方お比女は大天狗に抱えられていた。だがその目が、先が無くなった片腕を見た途端、辺りにまた大きな地響きがした。

「お比女ちゃんっ、大丈夫だから！」

若だんなは慌てて声をかけ、新龍を捜す。雲助は無事で斜面を降りてきていた。

「大天狗殿の手は見つかった？」

「ああ、この通り」

新龍が肩に抱えて降りてくるそれは、手というより、太い丸太のようだ。

「お比女ちゃん、大丈夫だよ。薬があるから」

「若だんな、天狗ではなく、ご自分の心配をして下さい。あの斜面を落ちたんですよ」

「私は天狗達のおかげで無事だよ。……あ、仁吉、それをおくれ」

若だんなは己の為《ため》の薬から器用に目を逸《そ》らし、急いで大きな蛤《はまぐり》の貝殻を開く。途端に、顔をしかめた。

「仁吉、物凄《ものすご》い色だけど、これ毒じゃあなくて傷薬なんだよね？」

貝の中の練り物には、緑と赤に混じって、光るような土色の筋が入っていた。

「若だんなの為の薬なんですから、妙なものは入っちゃおりませんよ。ま、ちょっと……かなり染《し》みるかもしれませんが」

大百足《おおむかで》や異獣の毛や人魂《ひとだま》の火など、並では手に入らぬ立派な材料が、使ってあるのだと言う。若だんなは座り込んだ草の上で、大いに顔をしかめた後、大天狗に声をかけた。

「古《いにしえ》、茨木童子《いばらきどうじ》は切り取られた腕を、渡辺綱《わたなべのつな》から取り戻したといいます。元通りに付けたのでしょう。大天狗殿ならば同じように、切り取られた手も、薬で付くやも知れません。きっと上手《うま》くいくと思うんですが」

そこで言葉を切った。それからわざわざ、お比女の顔を覗《のぞ》き込む。

「この薬は大層、大層染みるそうな。仁吉が染みると言ったら、本当に物凄い代物《しろもの》なんだよ。たとえ腕が付くといっても、そりゃ痛いから、大天狗殿は嫌がるかもしれない」

大人だとて、痛いお薬は嫌うものだと若だんなはいう。それを聞き、お比女は天狗の顔を心配そうに見上げた。

「蒼天坊、痛いから……お薬は嫌い？」

「い、いや比女様、そういうことではなく」

蒼天坊と呼ばれた大天狗が、一寸《ちょっと》おろおろとした。今の今まで争っていた、若だんなの持つ薬なのだ。それも手を切り落とした張本人の、仁吉が調合したものであった。争いの最中に、当の相手に手当してもらうなど、論外のことであるに違いない。

大天狗とお比女を囲んで、周りに寄っている天狗達も、奇妙な話の流れに、いささか呆然《ぼうぜん》とした様子をしている。

するとまた辺りが、ゆらりと揺れた。一同に緊張が走る。お比女が蒼天坊の手を見つめて、泣きそうになっていた。若だんなが気味悪い色の薬を、蒼天坊の眼前に突きつける。

「蒼天坊殿、痛いのが怖いんじゃないなら、さっさと手当をしましょうよ」

相手が手当を嫌う訳を重々承知しながら、若だんなはわざと子供に言うような言い方をした。その方が、蒼天坊が受け入れやすい気がしたのだ。お比女を早く安心させなくてはならない。蒼天坊とて、手当をするのなら早い方がよい。

(それに相手はお比女ちゃんの守り、山神様の使いだ。仲直りをしたいところだしねえ)

手を借りたいこともある。天狗《てんぐ》達の力を集めたいのだ。だから蒼天坊には、出来たら若だんなの薬で腕を治して欲しかった。

「分かったわい。その薬、使ってもらおうか」

蒼天坊がしかめ面《つら》を浮かべ、そう言ってきた。もし万が一偽薬であったら、天狗一同ただではおかぬと付け加える。

「その心配は無用なんですけれど」

若だんなは蒼天坊を見る。

「ただ手を切られるより、傷口に塗った薬の方が痛かったら、どうします？」

「さっさと塗れ！」

蒼天坊の気が変わってはいけない。若だんなは箱根神社へ続く階段の下、大きな木の脇《わき》に晒《さら》しを広げた。そこで仁吉と、何とも気味の悪い色味の薬を、蒼天坊の切られた腕に塗りつけたのだった。

手当が終わると、蒼天坊は顔色をその名ほどに蒼くした。目をかっと剝《む》いて、物凄い顔つきとなり嘴《くちばし》を嚙みしめている。次に小刻みに震えが走り真っ赤になった。唐辛子を桶《おけ》一杯囓《かじ》ったかのように、汗が噴き出してくる。

（これはなんと……痛そうな）

若だんなはいささか不安になった。大丈夫だろうか。皆がその様子を見つめている。するとそのとき、蒼天坊のくっついた手の指が、ぴくりとしたのだ。じきに、切り落とされていたのが嘘《うそ》だったかのごとく、自在に手が動いてゆく。

天狗達が大きくほっと息をついた。兄や達との間にあった剣吞《けんのん》な何かが、じわじわと引いていく。お比女が、まだ赤い顔をしている蒼天坊を見上げ、おずおずと笑った。

「良かった」

蒼天坊が無事な方の手で、お比女の頭を撫《な》でている。ところが双方ほっとした途端、お比女の顔が険しくなってきた。

「ねえ、どうしてこんなことになったの？　若だんな達と何故争ってたの？」

若だんなからは事情を言い出しかねた。蒼天坊はしばし無言であったが……また地面が揺れはじめると、じきに降参して全《すべ》てを白状した。

お比女が悩んだのは、若だんなが悪いと決めて、天狗達が襲いかかったこと。村人にも咎《とが》があるからと、朝顔のことを侍に教え、今またこの地に厄災をもたらそうとしていること。

お比女が、全てを壊しかねない大地震を、起こしそうになっているから。己ではそれを止められないでいるから。それならば先に、さっさと人の手で、この地をぶち壊してしまえばいい。お比女がその罪を背負わずに済むからだ！

「な、なんてこと……」

お比女は地面に顔を落とした。それから済まなそうな顔をして、若だんなを見る。次に朝顔の事を確認した。

「水門の朝顔を切り取ると厄災が起こる。そう守りは教えたんでしょう？　なのに侍達は、ほ、本当に蔓《つる》を切ると思う？」

その早口の問いに答えたのは、新龍だ。

「わっちゃあ勝之進達を知ってるが、金粒を賭《か》けてもいいな。欲しい根付きの朝顔があれば、切ると思うね」

勝之進らはきっと朝顔を奪った後、不吉な話には目をつぶり、藩にもたらされる幸運にだけ思いを向けて、箱根から逃げ去るに違いない。

「もしかしたら、もう朝顔を手に入れていたりして」

だが新龍の言葉に、蒼天坊が首を振った。

「多分まだだな。災害が起こっていない。そして小さな揺れが続いている」

お比女が起こしたにしては、余りにもちっぽけな揺れ。あれはもしかしたら、根がついていないか、朝顔の蔓を勝之進らが引っぱっている証拠かもしれない。その衝撃なのだ。

「止められないの?」

「水脈はあちこちにある。朝顔が顔を出している場所も、数多だ」

その内のどこの朝顔に根があるのか、誰にも分からない。そう聞くとお比女が唇を嚙《か》んだ。

「うおっ」

突然野太い声がする。お比女が蒼天坊の足を踏んづけたのだ。お比女の頰《ほお》を、涙がつたっている。顔が赤い。声が震えている。身も震えている。吐き出すように早口で言った。

「これじゃあ私は、厄災の元だ! 神は神でも……ま、まるで疫病神《やくびょうがみ》じゃない」

それを聞いた蒼天坊が、また赤くなる。若だんながお比女の肩に手を置いた。

「あのね、私がお比女ちゃんと同じ立場だったら、私の兄や達も、蒼天坊殿と同じように、とことん私を庇ったと思うよ」

若だんなが悪いなどとは、決して言わなかったと思う。その考えを押し通すためなら、無謀なこともしただろう。兄や達は妖《あやかし》で人とは違う。遠慮が無いのだ。すると仁吉と佐助が若だんなを囲み、その言葉に大きく頷《うなず》いた。

「そりゃあそうですよ。我らは若だんなをお守りする立場でありますれば」

一寸きょとんとしたお比女の横で、蒼天坊が情けなさそうに頷いている。だが。これを聞いたお比女が、また暗い顔をした。

「やっぱり私がいたから、いけなかったんだ。姫神なのに、ま、守られてばかりだから……」

「ああ、お優しい。だからその……姫神には、言わんでおこうと思ったのだが」

蒼天坊がおろおろとして、比女の顔を覗き込む。己の腕を切り落とされた時よりも、困り切っている。若だんなが声をかけた。

「ねえお比女ちゃん、泣いていないで。泣くよりも、水門を守りに行ったらどうかな」

お比女が今を苦しいと思うのなら、次の手を打たなくてはならない。でなければ、ずっと苦しいままだ。お比女と蒼天坊と天狗達と兄や達が、若だんなの顔を見つめる。

「今更我らに泉を守れと言うのか。泉の数は多い。しかも天狗とて全てを知ってはおらぬ」

「勝之進達は、とうに朝顔を捜しに行ってしまったのですよ。どこへ向かったのかも、全く分かりません」

仁吉が冷静に言う。若だんなが頷いた。

「でも水門はまだ壊れてはいないよ。ならばまだ、止められるかもしれないじゃないか」

鉄砲水が箱根の村を襲うのが先か。それとも何事もなかったかのように、事が収まるか。やってみる時はまだ残されている。お比女が顔を上げた。

「それはいいですが……まさか若だんなも、侍を追うつもりではないでしょうね？」

「でもさ、仁吉、人手がいると、思わないかい？」

兄や達の機嫌が思い切り悪くなる。

「おや、若だんなは寝込んでばかりで、役に立たぬひ弱な子だと聞いていたが」

しかしと蒼天坊が言う。

「……いささか噂《うわさ》と違うのかの」

にやりと笑うと、蒼天坊はさっさと、天狗達を幾つかの組に分け始めた。

「ねえ、一緒に行っておくれだよね？」

若だんなの願いを聞いた兄や達は、揃《そろ》って溜息《ためいき》をついた。

3

「熱が出ますよ。風邪をひきますよ。足を痛めますよ。喉《のど》が嗄《か》れますよ」

兄や達はしきりと繰り返す。要するに捜索に加わって欲しくないのだ。喋《しゃべ》っても歩いても、必ず病となると決めてくるところが怖い。

（大きな厄災が迫ってきているというのに、いつもの調子なんだから。全く、天狗達と競うような心配性だよ。最近は兄さんまで、似てきているし）

大きく息を吐く。だがここで、若だんなが不意に顔を上げた。

「あ……」

にこりとした。皆を見る。

「そうだ、兄さん！　松之助兄さんに聞こう」

兄は孫右衛門と一緒に、小田原へ向かう予定だった。朝顔を共に捜すため、勝之進はその孫右衛門を呼びにきたはずだ。つまり松之助はその場にいたことになる。運が良ければ二人の行き先を、耳に入れているかもしれない。

「東光庵薬師堂はすぐ近くです。松之助さんがいつ頃小田原へ出立《しゅったつ》したか、聞いてきます」

そう言ったのは佐助で、崩落の止まった階段へ目をやると、その上を飛ぶかのように、駆け上がってゆく。

「小田原に向かった松之助殿が、今どの辺に居るか分かったら、天狗を使いに出そう。飛んでいった方が早いだろうからな」

蒼天坊の言葉に、若だんなが頷く。

「では兄さんに一筆書きましょう。突然知らぬ者に声をかけられたら、驚いて逃げてしまうかもしれないし」

やはり天狗達と組むと、話が早い。若だんなは矢立《やたて》と紙を取り出し、草の上で手紙を書き始める。そこに新龍が声をかけてきた。

「やれ、どうするか決まったようだの。じゃあ、わっちの守りもここまででいいかな。お比女ちゃんには、本当の守り殿が側に来たみたいだしな」

次の稼ぎに行くという。お比女が若だんなの側に寄ってきて、新龍にぺこりと頭を下げた。何とはなしに寂しそうな素振りを見せる。今まで新龍と随分と一緒にいたから離れ難いのだろう。これでもう、会えなくなるやも知れない。

「じゃあな。お比女ちゃん、元気でな。運が良きゃあ、また出会うさ」

新龍はにやっと笑う。名残惜しさをすぱりと切って立ち去る。その姿を見送ると、お比女はそのまま若だんなの横に座った。

「あっさり行っちゃった」

ぼそっと呟《つぶや》く。

「何だか心細い。私、上手《うま》く……こ、この騒ぎを止められるかな」

「大丈夫だよ、お比女ちゃん。皆が力を合わせているんだから」

「お侍達のことだけじゃなくって……もっと不安なのは、私がこの先上手く地震を押さえていけるかな、ということで……」

心配が色々重なっている。だから言葉の最後の方が、力無く消えてしまうのだろう。若だんなはお比女の顔を覗《のぞ》き込むと、長い髪をちょいと引っ張った。

「何とかなるって。それに全部、きちんと立派にこなさなきゃならないと力むと、先へ踏み出せなくなるよ」

かくいう若だんなとて、長崎屋では薬種問屋の方を任せてもらっている身だが、周りから店の若主人という目で見られているかといえば疑わしい。

「私はまあ、ちょいとひ弱だから」

「ちょいと？」

正直な意見に苦笑する。確かに若だんなはすぐ寝込む。店にいない。

「しかしそんな調子でも、長崎屋はまだ潰《つぶ》れちゃいないよ」

大番頭が店の要《かなめ》となり、仁吉が諸事切り盛りし、とりあえず困る人はいないのだ。それどころか店は結構繁盛《はんじょう》していて、若だんなはありがたく思っている。

「助かるよねえ」

お比女はそんな、お気楽とも思える若だんなの言葉に眉根《まゆね》を寄せた。それから……少し笑う。幼い姿からは想像のつかぬ笑い顔だ。

「若だんなは気楽に言ってるけど、それでも本当は気にしてること、結構あると思う」

きっと跡取りとして、もっと色々出来なくては拙《まず》いと思ってる。このままでは明日、この先、どうなるかと不安もある筈《はず》だ。

「私も一杯頭に浮かんで、き、消えてくれなくて、色々色々色々……」

もう何度も口にしたに違いない言葉が、お比女の口からこぼれ出している。その目が、てきぱきと組み分けを決めている天狗《てんぐ》達を追っていた。

「どうにもならない事が起きたとき、若だんなはいつも、どうしてる？」

短い手紙を書き終え、若だんながそれを畳んだ。小さく笑う。

「そういう時、私は大概寝込んでいるんだけど」

そうなると、親にも兄や達にも心配のかけ通しで、具合が悪いだけでなく気持ちも苦しくなる。それが目下一番の悩みだ。

「ある日ぱっと丈夫にならないかな、なんて思う時もあるよ。でも隣に住んでいる親友が『手妻《てづま》のように才長《た》ける薬』は要らないと言ったとき、その強さが羨《うらや》ましくもあった」

人の気持ちは、時々で違ってきて揺れるのだ。若だんなは、笑ってつけ加えた。

「ただ、ここ最近寝てないときに、やってることがあるよ。私はあちこちへ行くのさ。まずは隣の三春屋《みはるや》かな」

幼なじみのいる菓子屋なのだという。それから、近くの神社などへも行く。

「出来ることを増やしてるんだ。するともっと、やりたいことが出てくるから不思議だよ」

両親も兄や達も、若だんなが外出することを心配する。だが今では三春屋へ行くらいなら、いつものこととなった。もう止められたりしない。

「お互い慣れだよ。うん、きっと」

「……へ、へえ、慣れ、なんだ」

お比女はしばらく、目をぱちくりさせていた。その様子を、若だんなの袖口《そでぐち》から顔を出し鳴家達が、興味深そうに見ている。皆で顔つきを真似《まね》て、目をぱちぱちさせている。

だがこのとき急に、鳴家達が上を向いた。あわただしい足音と共に、佐助が階段を駆け下りてきたのだ。仁吉と若だんなの間に降り立つと、しかめ面《つら》のまま報告をする。

「松之助さんは、小田原へは向かっておりませんでした」

新龍と馴染《なじ》みの神官によると、まだ暗い時、東光庵薬師堂で大きな声がしていたという。

「外出をしていたらしい勝之進殿が、帰って来たようだと」

東光庵でどんな諍《いさか》いがあったのか、神官は聞いていない。しかしその騒ぎの直後、皆は東光庵から急いで出立したのだ。駕籠《かご》は呼ばれなかった。松之助はしきりと勝之進らを止めていたが、最後には同道したという。

「兄さんが、勝之進さんたちに付いていった？」

若だんなは目を見開いた。生真面目《きまじめ》で律儀《りちぎ》な松之助が、怪我《けが》をおしてそんなことをした訳は……。

「侍達を放っておけなくなったということか」

つまり勝之進は、危ないと天狗に念を押されたにも拘《かか》わらず、やはり水門の朝顔を切る相談を孫右衛門としたのだ。

お比女が顔をしかめた。だとしたら、それを止める松之助は、侍二人にとって邪魔な連れとなる。下手をすると危ない立場に立たされるかもしれない。勝之進達は朝顔のためなら、人さらいも裏切りも躊躇《ちゅうちょ》しないできた。

若だんなはお比女と顔を見合わせる。

「早く捜さなきゃ！」

兄が無事でいる内に。勝之進らが水脈を破壊して、山と湖と、箱根を水に沈める前に！　蒼天坊が天狗らに指示する。

「何かあったら笛で仲間を呼べ。そして箱根神社でくだんの見知りおきの神官殿に、子細を伝えること。あの御仁《ごじん》は万事心得ておる故《ゆえ》」

その言葉に頷くと、二、三人ずつに分けられた天狗達が、大きく羽を広げ空に上がる。地を行く若だんなと兄や達は、同じく歩きのお比女、それに蒼天坊と同行することとなった。村の道を抜けることもあるからと、蒼天坊は虚無僧笠《こむそうがさ》を被《かぶ》り顔を隠す。

神社から離れると、直《す》ぐに天狗の気配を感じなくなる。箱根の山は蒼《あお》く深く折り重なって、その広大さを一行に示していた。

4

一行はとりあえず箱根神社前から芦ノ湖沿いに出て、それから少々北へ道をとった。まず芦ノ湖の近くにある精進池《しょうじんがいけ》を目指したのだ。歩き故に道のあるところへ、そして泉が多そうな辺りへと向かった。

東海道でもない田舎の道には、石畳など敷かれてはいない。その辺りは雨が降れば泥で足が埋まる道もあるという話で、天気が良いのは本当にありがたかった。歩きつつ、仁吉が蒼天坊に確認する。

「天狗方は、山神様の下におわすのでしょう。箱根に湧《わ》く泉が記された地図とか、持ってないのですか？」

お比女を大事そうに懐《ふところ》に抱えながら、蒼天坊はきっぱり首を振った。

「箱根は湯も水も豊富でな。湧き出している場所は、本当に多いのだ」

地獄谷の高温の泥湯から、清らかな滝まで、水は様々な形で地中から噴き出している。その湧き出し口全《すべ》てに、地中の水門から遥《はる》か先まで伸びた朝顔の蔓《つる》が、顔を出しているやもしれぬという。

「……そうなんだ」

若だんなの顔が強《こわ》ばった。これでは天狗が勝之進らを空から見つけてくれるよう、頼るしか無いのかもしれない。

「松之助さんが、大体どちらの方向へ向かうかだけでも言い残してくれれば、少しは見つけやすかったのですが」

「兄さんに文句を言ったって」

若だんなが大人《おとな》しく湯治《とうじ》にいそしんでいないので、仁吉は不機嫌なのだ。おまけに若だんなは、佐助が背負うと言ったのに、意地を張って山道を歩いている。

そのとき若だんながふと首を傾《かし》げ……仁吉が運んでいる革袋に目をやった。

「ねえ仁吉、兄さんの革袋にも、私のと同じような荷が入ってた。確か一つを無くしたときに備えて、荷物を分けてたんでしょう？」

金子《きんす》を二人に十分持たせたように、兄や達は、用心深かったのだ。

「それがどうかしたの？」

お比女が興味深そうな顔で、若だんなの方を向く。その眼前に若だんなが突然、大きな蛤《はまぐり》をひょいと差し出した。

「……何これ？　若だんな、お腹空《なか》いたの？」

だが、直ぐ若だんなの考えに、気がついた者がいた。蒼天坊だ。

「そうか、これは先の傷薬だな！　兄上の革袋にも、このような薬が、たくさん入っているわけだ」

大百足《おおむかで》や異獣の毛や人魂《ひとだま》の火など、並では手に入らぬ材料で作られた、常には無い薬。だとしたら、それらの薬からは独特の匂《にお》いがするはずであった。

「それを辿《たど》れば、一行に追いつけるやもしれぬ。そういうことか？」

「でも離れても分かるくらい、凄《すご》い匂いなんて、これにあるの？」

お比女が蛤の匂いを嗅《か》いで、眉を顰《ひそ》めている。隣で佐助が笑いだした。

「犬神《いぬがみ》である私なら、僅《わず》かな匂いでも辿れますよ」

若だんなが大きくにこりと笑った。その手を、仁吉がすかさず摑《つか》む。

「じゃあ、背に負いますからね。急ぐなら、若だんなに歩かせてはおけません」

「どうしてそういう話になるんだい」

若だんなの抗議は、とんと聞いてはもらえなかった。

一応、精進池近くの湧き水も確認したが、地中の水門から伸びているという朝顔は切り取られてはいなかった。若だんなはそこで初めて、蔓を見た。

「これ、朝顔なのかい？　まるでしなびた蕎麦《そば》のようだね」

一同はその後、薬の匂いの分かる佐助を先頭に、軽く走るような速さで、蛇骨川《じゃこつ》に近い山道を登っていった。

杉が多いのかと思っていた山は、昼間見ると、意外にも横に枝を広げる木々がほとんどであった。山道は狭く、木の枝が両側から道にせり出し、日をまだらに遮《さえぎ》っている。進むにつれ、枝が体に軽く触れては道の後へと消えて行く。兄や達と蒼天坊らが、厚く重なった薄茶の落ち葉を踏む。足音は意外なほどの軽さで、さわさわと拍子を刻んだ。

若だんなは小さな女の子であるお比女と同じように、負われて運ばれていることに、物凄く気まずい思いをしていた。

「ねえ仁吉や。下ろしてくれないか。私は歩けるって言っただろう？」

「そりゃ、勿論《もちろん》山道でも石畳でも歩けるでしょうが。でも若だんなに、長く走れとは言えませんからね」

仁吉はあっさりと言い、走り続ける。そこにお比女の言葉が、追い打ちをかけてきた。

「若だんな、急いでいるんだから文句言わないで。何事も『慣れ』なんでしょう?」

無理して途中で倒れたら、兄や達はその場からてこでも動かなくなる。それでは困るのだ。若だんなは顔を赤くした。

だがお比女は、若だんなをからかって面白がっている訳ではなかった。それどころか、幼い見てくれと違って、千年生きてきた年月を思わせる皮肉っぽい顔をして、潜り込んでいる天狗の懐から、山の方を見ていた。

「ねえ若だんな、あのお山が見える?」

指で示した先、道の左側に山が重なり迫っている。

「奥の方のお山が、神山《かみやま》というの」

つまり、お比女の父神がおわす山であるらしい。この箱根の土地神。山自体が御神体なのだとお比女が言う。

「父神様なら泉の湧く全ての場所を、ご存じだと思う。本当に村や人のことを心配するのなら、私たちだけでじたばたせずに、山神様にさっさとおすがりするのが正しいのかもしれない」

己達の間抜けな所行を、山神様に知られてしまう訳だが。

「で、でもその方が良いと思わない？」

お比女に聞かれたので、若だんなは間髪容《い》れず、仁吉の背中から返事をした。

「そうは思わない」

蒼天坊が、ちらりと若だんなを横目で見た。若だんなはお比女の方に顔を向ける。

「確かに水門にある朝顔の蔓が切られ、決壊したら大変なことになる。でもね」

もう一つ他に、大きな問題がある。それはお比女が己でも分かっておらぬ内に、地を揺らし山を崩していることだ。そればかりは、他の者がどうにかする事は出来ない。たとえ、山神であっても、だ。

「ならば今度の事は、お比女ちゃんが己で何とかしなきゃならないと思う」

誰ぞに頼っても、どうなるものでは無い。根本が、余人では解決できないことなのだから。若だんなにはっきり言われ、お比女は目を見張った。

「あ、そ、そうか……驚いた、そういうことでもあるんだ」

ぶつぶつとつぶやく。その後また、木々の枝の向こう、神山に目をやる。暫《しばら》くただ、ずっと見つめていた。そのままでいた。

そして静かに、ゆっくりと言う。

「……やってみるしかないんだ。で、でもやれるかな。……うん」

「とりあえずはまず水脈を守ろう。対処のしかたが分かってることから、何とかしなきゃ」

若だんなの言葉に、お比女が小さく笑い、頷《うなず》く。横から蒼天坊が声をかけてきた。

「良い意見だな」

驚いた。若だんなは初めて、大天狗に褒めてもらったのだ。だがしかしと、蒼天坊はわざわざお比女の方に声をかけた。

「比女様は姫神。人とはお立場が違うのです。ですから平素は是非、ひ弱な町人の言葉になど、振り回されないで頂きたいですな」

「うるさい天狗は、腕の代わりに舌を切り落とすべきですな」

若だんながけなされたと思ったのか、仁吉が蒼天坊の口調を皮肉っぽく真似て言う。佐助は黙っていたが、鋭い歯が見えている。蒼天坊は走りながら、二人を睨《にら》み付ける。だが、それ以上の喧嘩《けんか》にはならなかった。

「おおっ？」

突然足の下から、突き上げる揺れがあったのだ。遠い場所の地震が伝わると、初めはゆっくり揺れるが、その揺れではない。一行の足が止まった。

「お比女ちゃん？」

「今のは私じゃ無い……うん、ち、違う」

少なくとも、お比女は落ち着いていた。地を揺らしたとも思えない。「つまり」蒼天坊と若だんな達は、顔を見合わせた。

「これは侍達が朝顔の蔓をひっぱり、根の有無を確認した揺れやもしれません。我らはその場所に近づいているんでしょう」

仁吉の言葉に佐助が頷く。根のある朝顔を切り離し、水脈決壊を引き起こさぬ内に、早く止めねばならない。山を登る皆の足が速くなった。

5

古《いにしえ》に大崩壊し、芦ノ湖の北半分を埋めたという神なる山の北には、地獄と呼ばれる場所がある。草木が枯れ、泥湯が湧き出ている所だ。神の怒りの残りし地なのだ。

佐助によると、蛇骨川から離れ西に向かった一行は、どうやらそちらに行っているという。重なった山をぬう道は、急な勾配《こうばい》を登ったり降りたりしている。若だんなや小さいお比女の足では、とてものこと長く歩くことが出来なかったに違いない。

若だんなは仁吉の背で、しかめ面《つら》を作った。

「人の身でこんな道を歩いたとは。お侍達は余程必死なんだね」

つまり目当ての朝顔を見つけたら、思い止まること無く取ってしまうということだ。

だがその時、前をゆく佐助の足が、山の斜面で急に止まってしまった。空を仰ぎ、しかめ面を浮かべている。

「段々と、硫黄《いおう》の匂いが強くなってきました。これでは薬を追うことが難しい」

「硫黄？」

首を傾げる若だんなに説明したのは、お比女だった。

「さっき言った地獄という場所のせいだと思う。そこではお湯だけじゃなく、硫黄が出ているの」

地獄一帯はその匂いのせいか、木や草が全く生えていない。風向きが悪いときに入り込むと、辺りを歩いただけで人が倒れることがある。点在する泥の沼は熱湯のように沸きかえり、水面に坊主《ぼうず》の頭のような大きな泡を作っている。落ちれば間違いなく命がない。

「もう佐助には頼れないということか」

仁吉が顔をしかめる。そうとなれば、この先どうするか、もう一度決め直さなくてはならない。若だんなが一旦《いったん》道に降りた。

「勝之進さんたちは、そんな所に向かったんだろうか。草も木もない場所なんだよね。そこに朝顔が生えているのかな？」

「地獄にも水が湧いている場所はある。それに朝顔といっても、水門を縛る特別なものゆえ、湯の周りでも見たことがある」

形すら並とは違うのだからと蒼天坊は言う。

「そんな朝顔で、……品評会で大関になれるのかしら？」

若だんなが眉《まゆ》をひそめる。そもそも侍達が欲しがっているのは、大関になるような朝顔であったはずだが。

その時佐助が、ふらりとその場を離れた。何歩か歩いて首を傾げ、更に先へゆく。

「佐助、どうしたの？」

「硫黄の匂いが途切れたとき……強く薬が匂ったんです」

更に先へ行きかけて、止まる。じきに道の右側、崖下《がけした》に目をやって、ひゅっと小さく息を吐いた。そのまま一気に降りて行く。若だんながそちらへ近寄り、目をやった。

「何と、兄さんっ！」

すぐに佐助が松之助を担《かつ》ぎ上げてきた。弱った様子ではあったが、口はきけるようだ。お比女、虚無僧笠《こむそうがさ》の山伏、それに若だんな達との出会いに、誰より松之助が驚いていた。

それでも、若だんな達も勝之進らの水門破りを知り、追ってきたのだと言えば、納得の顔を見せる。

「私は勝之進さんたちの話を、東光庵で小耳に挟んだので、二人に付いていったのです」

その話に若だんなの名と、朝顔という言葉が、混じっていたからだという。どうやら朝顔の為《ため》に、勝之進らはまた若だんなに迷惑をかけたらしい。

「以前、お侍二人は若だんなを攫《さら》ってます」

今度は何をやるのだろうか。松之助は放ってはおけず、二人と共に行ったのだ。

「一緒に残っていた孫右衛門さんは、東光庵にいた間も朝顔を探し続けていたんです」

この地に詳しい神官の一人に、この寒い地でもし朝顔が育つとしたら、どの辺りになるかと尋ねたのだ。

「湯が湧《わ》く所の近くなら暖かい。あるいは」

神官はそう答えたという。よって二人は温泉地を目指し、一番近い芦の湯へ向かった。

「でもそこに目当てのものは、無かったようで。更に山を登りました」

蛇骨川沿いを進み、さて右へ折れ木賀《きが》や堂ヶ島の湯へ向かうか、それとも仙石原《せんごくはら》や姥子《うばこ》を目指すか迷ったとき、一行はとんでもない者達に出会ってしまったのだ。

「いつぞや襲われた、天狗《てんぐ》の面を被《かぶ》った盗賊達です」

（あら……）

若だんな達はこっそり、目を見交わす。勝之進らを捜していた天狗達は、山の中で一行のすぐ側まで迫っていたらしい。勝之進らは、天狗面の賊と思い込んでいる相手に、朝顔を切れば水門が壊れ厄災が起こると、はっきり告げられている。だから彼らに見つかりたくなかったに違いない。

「その地からは木賀温泉の方が近く、人の住む村も近い。天狗面達はそちらへ向かうと見て、勝之進さんは地獄と呼ばれる地へ、足を向けたのですが」

直《す》ぐに道はぐっと険しくなった。途中怪我《けが》をしていた松之助は、山道から足を滑らせ崖下に落ちてしまったのだ。

「思わず大きな声を出してしまいました。天狗面らが気づくのを恐れた勝之進さん達は、そのまま走り去ってしまったのです」

「兄さんを置いて？　助けもせずに？」

若だんなが声を震わせる。松之助はそのまま、動けずにいたのだ。

「兄さん、無茶をしちゃ駄目だよ。小田原から先に帰ったとばかり思ってた。薬の匂いで気がつかなかったら、助けることも出来なかったんだよ」

若だんなの言葉に、道端に座り込んだ松之助が、小さく笑った。ふと漏らす。

「……やはり己一人が先に、江戸へ帰る気にはなれなくて」

孤独になった松之助を受け入れてくれたのは、父でもおかみでもなく、若だんなであった。その弟、長崎屋の大事な跡取りを置いて一人安穏と帰っても、江戸に居場所が無い。

「そんな。長崎屋は兄さんの家じゃないか」

だが松之助はその言葉に、苦笑いを浮かべ返事をしない。若だんなは唇を薄く噛《か》んだ。

(なんで……誰も彼も、己一人の思いすら持て余しているんだろう)

松之助は未《いま》だに……己の居場所に、心細い思いを抱えている。お比女は御し切れない己自身に、頭を抱えている。新龍は向き合うのも痛いような昔を秘めたまま、強がっている。勝之進らは、無謀だと言われ危険と分かっていることに、頭からのめり込むように突っ込んでいってしまう。

蒼天坊はお比女を思う余りに突っ走る。仁吉や佐助は変わらず若だんなを思ってくれるはいいが、これも他を顧みない。

若だんなは……。

(私はここにいる。……でも誰かの、何かの、この地の役に立っているんだろうか)

そんな思いは江戸にいるときも抱えていた。考えても答えが見えて来たことがない。

(きっと他の誰も、似たようなのかも……)

だからこそ不安は消えず、どちらに足を踏み出して良いのか分からない。気持ちばかりが溢《あふ》れる。

(例えば朝顔だね。欲しい。切らせてはいけない。朝顔なんて本当は関係ない。朝顔しか駄目だ。朝顔は……朝顔なんか……)

皆の様々な思いが山と化して爆発をすれば、それこそ古の神山崩壊のような、途方もない災いになりそうな気がした。若だんなは一度きつく目を閉じる。それからゆっくりと見開くと、仁吉に頼み込んだ。

「残って兄さんを手当しておくれでないか。その後一緒に、近くの温泉宿へ行っておくれ」

「若だんな、駄目ですよ！」

「私は若だんなの側を離れません！」

松之助と仁吉の声が重なる。だが若だんなは引かなかった。

「頼むから。兄さんを一人置いていくなんてことになったら、私はたまらないよ」

いつになく、深く深く兄やに頭を下げる。一寸言葉《ちょっとことば》を失ったようすの仁吉に、お比女が助け船を出した。蒼天坊から小さな笛を借りて皆に見せる。

「これでこの場に蒼天坊の仲間を呼びましょう。かの者達が来た後、松之助さんを託したら、仁吉さんは私たちを追えばいい」

相変わらずの早口だが、はっきりと言った。まさに姫神の言葉と聞こえた。仁吉がゆっくりと頷く。

「……分かりました。佐助、若だんなを歩かせるんじゃないよ」

「当たり前だ」

とにかく、勝之進らの行く先の見当がついたのは、ありがたい話であった。仁吉が若だんなに道中刀《どうちゅうがたな》を持たせる。蒼天坊はさっさと道を歩み始めると、お比女に笑いかけた。

「なに、一人残したところで、こちらには天狗たる我も佐助殿もいる。追いついてしまえば、侍二人を取り押さえ朝顔と水門を守るのは、易《やす》いことであろう」

地獄ならば、もうさほども遠くはない。蒼天坊の勇んだ足取りは軽くなった。相変わらず険しい地形は続いており、山は深く前にも後ろにも重なっているが、目指す場所は近づいているのだ。その事を示すように、生えている草がぐっと減ってきていた。

徐々に硫黄の気が強くなってくる。それを深く吸い込まぬよう皆に言った後、蒼天坊が谷の向こうを示した。

「この先には熱泥が湧き出す池もある。側に寄らぬように。大火傷《おおやけど》をしてしまうからな」

地獄に近づくと共に、微《かす》かな響きと揺れが伝わってきていた。

6

地獄に入った。その地はその名に恥じぬ、土地そのものが怒っているような場所であった。

硫黄の匂《にお》いはきつくなり、のっぺらぼうになった山肌は、ごつごつとした岩に覆《おお》われている。地から煙が立つように見えるのは、熱泥から上がる湯気だろうか。若だんな達は、崖のように険しい斜面の裾《すそ》を歩いて行く。

そのとき、草一本無いと思われた地の崖から、何やら蔓《つる》のようなものが垂れ下がっているのが見えた。

「あれは……」

若だんなと佐助がのぞき込む。干した蕎麦《そば》のような蔓に見覚えがあった。

「葉は尖《とが》った糸みたいだね。蒼天坊殿、これが水門の朝顔なんですか」

変わった朝顔は数多《あまた》見てきたが、これは本当に奇妙な代物《しろもの》であった。お比女が首を傾《かし》げている。

「垂れ下がってる？　……何か変……」

そのときお比女の悲鳴が上がった。すぐ横の斜面から爆《は》ぜるような音がしたのだ。見上げる。何かが崖から噴き出していた。

「ひっ！」

降りかかる泥のような熱の塊を、佐助が死にものぐるいで避ける。二人で道に転がった。

「若だんな、大丈夫ですか？　浴びませんでしたか？」

「私は無事だよ。でも」

前を歩いていた蒼天坊はと見て、若だんなは声を呑《の》み込んだ。

飛び立てば泥を大して浴びずに済んだやも知れぬのに、天狗は背の羽を、お比女を庇《かば》うのに使ったのだ。おかげでお比女は無事に、その懐《ふところ》から出てきたが、蒼天坊は半身に大きく火傷を負うこととなった。

「まだ腕の怪我も治りきっていないのに」

若だんなと佐助で、急いで着物を脱がせ竹筒の水をかける。仁吉特製の薬はここでも役には立ったが、それにも限度はあった。若だんなが怖い顔つきになる。

「蒼天坊殿、当分動いてはいけません」

「見て、湯が噴き出た場所……割れ目からさっきの蔓が下がっているわ」

お比女が崖を指差す。

「水門の朝顔は、いつもは水脈の内にあるのに。侍達が根の有無を見るために、蔓を引っ張ったのかも」

それで水脈の口が緩み、ひびが入ったのか。

「となると、ここから先はかなり危ないね」

若だんなが顔をしかめる。どこの水脈が傷ついているか、分からない。その上地獄では、壊れかけた水脈からは水でなく、熱湯が噴き出してくるかもしれないのだ。声が硬くなる。

「先程の程度のことでも、被害は大きかった。……蔓を切れば、今度こそ悲惨なことになるかもしれない」

「あやつら、当たって死ぬまで河豚《ふぐ》を食べ続ける、馬鹿《ばか》に似ていますね」

佐助が口元を歪《ゆが》めている。

「ならば比女の守りは、これからも必要だ」

蒼天坊がもたれ掛かっている岩から、無理をして立ち上がろうとする。その時、強《こわ》ばった顔で横に立っていたお比女が、それを止めた。

「守りは立ったら駄目！」

それから例の笛を取りだし、大急ぎで天に向かって吹く。他の天狗の助けを呼んだのだ。

こういうときは千年の齢《よわい》が顔を出し、幼くは見えない。蒼天坊の顔が歪む。

「私は大丈夫。佐助さんが一緒だから」

それでも一緒に行くと言い張る蒼天坊に、お比女が笑いかけた。

「直ぐに戻ってくるから。し、心配しないで」

三人は川の方向を確認すると、蒼天坊を心配しつつ、強引にその場を離れた。ぐずぐずしていると、蒼天坊が本当に付いて来かねないからだ。

若だんなが佐助の背から降り、お比女を代わりに乗せる。子供の足に合わせていたのでは、先を急げない。道々、佐助が若だんなとお比女に、念を押してきた。

「二人とも、危なくなったら、蒼天坊殿がいる方へ逃げるんですよ」

「あれまあ、確かにそうだけど……逃げられる位なら、あまり危ないとは言わないような」

若だんなの言葉に、お比女が佐助の背で笑いだした。少しばかりその場が和《なご》む。そのまま進んでゆくと、一行はじきにまた垂れた蔓を見つけた。慎重に避けた。その内、別の蔓も目に付く。次がある。またあった。また……。

その時。

「ぬしら何しに来た」

不意に、聞き覚えのある声がした。目をやれば、脇《わき》の急な斜面のかなり上の方から、こちらを見下ろしている影がある。

(あ……いよいよ追いついたか)

孫右衛門であった。袴《はかま》をたくし上げ脚絆《きゃはん》を巻き、急な地形のただ中に立っている。

細い綱のようなもので体を支えているようだ。

「万が一にも厄災を引き寄せないよう、止めに来たんだ」

若だんながはっきりと言う。孫右衛門の足の下の土が、少し転げ落ちた。低く答える。

「勝之進から聞いた。天狗面の者が言ったそうな。朝顔を切ると大事になると」

だがそれは、裏を返せば確実に、この地に珍しい朝顔があるということであった。だから孫右衛門達は藩を救うために、この地獄にまでやって来たのだ。

「朝顔は本当にあった。蔓は見つけたのだ。まだ根付きのものは見つからないが……」

そう言うと手に摑《つか》んだ蔓を若だんな達に示す。三人に緊張が走った。

(先程と同じだ。斜面にある蔓……)

この辺りには水脈が多く、地面近くに来ているらしい。辺りを見ると、奇妙な細い紐《ひも》のようなものが、近くの岩陰にある。お比女が寄りかかった場所の、肩の辺りにも一本。

これらの蔓も、冷たい水、もしくは箱根の湯と繫《つな》がっているのだろうか。それとも先程目の前で噴き出した、熱い泥の方か。

（孫右衛門殿が握っている蔓もまた、どちらかと……）

火傷をするほど高温の泥湯の側でも平気とは、遥《はる》か地中の水脈で神の水門を守るという朝顔は、尋常という字とは縁の薄い草であるらしかった。

「なあ御身《おんみ》ら、黙って帰ってくれぬか」

孫右衛門が、頼むように言ってきた。

「我らは朝顔を見つけ、国元へ持ち帰りたいだけなのだ。それだけだ。これ以上若だんなに迷惑をかけたくもない。分かってくれ」

本気なのは分かっている。しかし。

「はいと言いたいところだけど……後の厄災は知らぬ存ぜぬでは、迷惑この上ない！」

既に小さな揺れを引き起こしているではないか。若だんなの言葉に、孫右衛門の顔がきつくなる。

「ではこの蔓を思い切り引くぞ。ただ引いただけでも、これがなかなかに恐ろしい」

根を求めて蔓を引っ張った途端、水が噴き出し勝之進と流されたことがあったのだ。それならまだましな方で、大怪我《おおけが》をしかねない湯が飛び出たこともあるという。

若だんながこの時、顔をしかめた。孫右衛門を見上げる。

「じゃあ……もしかして、崖《がけ》みたいな場所の上の方にいるのは」

「朝顔を調べるため蔓を引くときは、必ず坂の上からせねば、こちらの身が持たぬ。何度かやってみて、そうと分かったのでな」

今ちょうど、三人は孫右衛門の眼下にいる。ここで熱泥に上から降り注がれたら、蒼天坊の二の舞であった。

若だんなは立ちすくんだまま、次の手が浮かばない。横で佐助が静かにお比女を背から下ろした。小声で若だんな達に言う。

「この近さなら、孫右衛門一人、飛びついて押さえられます」

「佐助、でも」

若だんなが言いかけたとき、佐助は既に崖を駆け上がっていた。寸《すん》の間《ま》に、孫右衛門を片手で押さえ込んでいた。

「さあ、朝顔から手を離せ！　この地から早々に、放り出してやろうからに」

ところが。

すぐにその手を離したのは、佐助の方であった。孫右衛門は朝顔を摑んだまま立ち上がり、近くの崖に目をやる。勝之進が現れていた。小刀で、今にも朝顔の蔓を切る素振りを見せていたのだ。

切ってしまったら、蔓を引く位の災害では済まない。ここで水脈が決壊したら、若だんな達は巻き込まれる。万が一、噴き出したのが熱泥だったら命がない。

今度は佐助の動きが封じられた。

(これじゃあ動けない。でもこのまま勝之進さんたちに朝顔を捜し続けさせたら……)

二人はいつか根付きの蔓を切って、やっぱり水脈は決壊してしまうかもしれない。

(どちらも選べない。どうすればいいのか。どうしなくてはいけないのか)

若だんなは、お比女と顔を見合わせた。

(何が出来る？)

(どうする？)

(何と決断する？)

(もう迷う間がない！)

そのとき……お比女の緊張した声がした。

「ど、どうしよう、若だんな」

そう言うと、お比女は近くにあった朝顔の蔓を、おずおずと手にした。

「私が今から何をしなきゃいけないか、わ、分かっちゃった」

お比女は眉間《みけん》に皺《しわ》を寄せている。何だか不安げであった。

「凄《すご》い、何かやりようがあったのかい？」

「この蔓を切るの。そして水脈を決壊させるべきだと思う」

若だんなが大きく目を見開いた。

「は？　それをさせまいと、今皆で頑張っているんじゃ……」

「侍達は近くにいるもの。あの程度の高さなら、水脈が破れれば噴き出た水で飛ばされる」

ただ、問題があった。

「それが済んだら、私は何としても決壊した水脈の流れを、止めなきゃいけないの」

考えてみれば、やれるはずなのだ。お比女は姫神なのだから。たとえ川ほどのものであっても、たかが一本の水流くらい、御せぬはずが無かった。それが出来ぬようでは、己が起こしている地震を、押さえることなどおぼつかない。

だけど。

「若だんな、私やったことがないの。大丈夫かしら」

こればかりは若だんなに返事が出来ない。代わりに聞いた。

「水流を止める方法はあるの？」

お比女は頷《うなず》くと、仁吉が若だんなに持たせた道中刀を貸して欲しいと言う。そして己の長い髪を、いきなりばさりと切り落とした。

「お比女ちゃん！」

「切った蔓の代わりに、この髪を綱として水脈を閉じる。比女は山神の娘だもの。それで大丈夫な筈《はず》」

侍達が、佐助が、目を見開いて二人の様子を見ている。

「何をしようというのだ？」

お比女の不安げな声が続く。

「ただね、もしこの水脈から噴き出してくるのが熱泥だったら、私達、命が無いけど」

それがお比女は怖いのだ。己の力不足で、止めきれなかったらと思うのも恐ろしい。運が悪ければ若だんなを道連れにしてしまうのも嫌なのに違いない。

「どうしよう……どうしよう」

この真剣な問いかけに、若だんなはいつものように、柔らかく返事をした。

「怖いねえ。でも……逃げ出す道も無いか」

他に選びようも無いことであった。だから、そう答えたまでだ。

だがお比女はこれを聞き、苦笑するような、ほっとしたような顔を浮かべた。

「何だか気が抜けるわ、その返事」

ちょっと声を出して笑う。

「若だんなって、若だんなだわ、本当に」

「なんだい、それ」

首を傾《かし》げて聞いたものの、己が髪の毛を握りしめたお比女から、返事は返ってこない。

地獄の地に、お比女は立ちあがった。たなびく白い煙と硫黄の匂《にお》いの中、その小さな姿は、精一杯しゃきりと立っている。迷いも言い訳も、もうその口からは出てこない。そして、ゆっくりと言った。どもりもしなかった。

「いきます……」

ちらりと若だんなを見る。そしてお比女は一気に、蔓の上に刃を振り下ろしたのだった。

7

「若だんなは、とても運が良かったのですよ」

寝込んでいる間、若だんなは仁吉に、百回くらいそう言われた。当初、余りにも具合が悪かった一ヶ月、若だんな達は箱根神社の奥、村人が入り込めない社《やしろ》の一角で、休ませてもらっていた。

「薬が苦い？　若だんな、もっと苦い方が効くんですがね。死にかけたんですよ。寝込むことは、分かっておいでだったでしょうに」

いささか……かなり機嫌を悪くした佐助が容赦なく、とびきり苦くて奇妙な薬を、若だんなの口に放り込んだ。横で若だんなよりも先に床上げした松之助が、心配げな顔で若だんなを見ていることが多かった。

地獄から生還した後、若だんなはやっぱり寝込んでしまったのだ。しかも無理をした上、山でびしょ濡《ぬ》れとなったせいか、酷《ひど》く……昨今に無いほど、悪かったのだという。

それが回復してきたのは、あちこちから届いた特別な薬のおかげであった。お比女の父、山神から、千年水蛇の鱗《うろこ》を使ったという水薬を頂いた。祖母の皮衣《かわごろも》からは目目連《もくもくれん》の目玉、荼枳尼天《だきにてん》からは、去年の雷雲で作ったという、時々光る丸薬が届いた。蒼天坊は、滋養があるという毒々しい虹色《にじいろ》の茸《きのこ》を差し入れてくれた。

薬のおかげか養生のせいか、若だんなは普通に具合の悪い病人に戻っていった。その後大分体に力も戻ったということで、新龍ら雲助に頼んで、山駕籠《やまかご》で一の湯へ移してもらった。

箱根神社には湯が湧《わ》き出ていなかった。せっかく箱根に来たのだからと、若だんなは温泉で湯治するのを夢見たのだ。ありがたいことに『江戸から来た若だんな』についての悪い噂《うわさ》は、神社の神官殿がせっせと消して回ってくれていた。

「若だんな、随分と大仕事をしたんだってねえ。ついでに運も良かったときたもんだ」

送ってきたついでに、旅籠《はたご》の部屋へ見舞いに来た新龍が、にやにやと笑っている。若だんなは長く山駕籠に乗ったからと、また布団《ふとん》に寝かされてしまっていた。茶と菓子を調達してきた仁吉が、無茶をするからだと、二人の横で大げさに溜息《ためいき》をついている。

姫神と命を賭《か》けたあの時。

地獄谷で地から噴き出してきたのは、並の熱さの湯であったのだ。それは人など突き飛ばす勢いで溢《あふ》れ、谷を満たし下った。若だんなも飛ばされたのだが、佐助に受け止めて貰《もら》い助かった。だが侍二人は川へ押しやられ、はるか山の下まで流れていってしまった。

そしてお比女は己が言葉の通り、直《す》ぐに水脈を髪で縛り、閉じた。

やれたのだ！

旨《うま》そうに饅頭《まんじゅう》を口にしながら、新龍が笑う。

「あれきり妙な地震は起きていないな。お比女ちゃんも、落ち着いたのかねえ」

少しは自信がついたのか。良かったねえと言いつつ、また一つ食う。それを布団の中から鳴家達が羨《うらや》ましそうに見ている。若だんなが問うた。

「お侍二人が、あの後どうなったか知ってる？」

昔の知り合いであれば、新龍ならば心得ているかと思ったのだ。思った通り、既に後日談を耳に入れていた。

「生きていると聞いたな。天狗《てんぐ》が川下から拾ったみたいだの」

二人は半死半生であったらしい。しかし神の采配《さいはい》か、最後に小さな朝顔を手にしたのだという。あの時地獄でお比女が切り取った朝顔に、根が少しばかり生えていたのだ。

「そいつを頂いて、勝之進らは国に帰ったとか。はてさて、朝顔をうまいこと進物に仕立てられたのかねえ」

それで藩が助かったか否《いな》か。そこから先のことは、新龍も知らぬようであった。それで良いのだろう。

「ところで若だんなは、塔之沢にいつ頃までいるんだい？」

「ゆっくり湯治ができるまで。箱根に来たというのに、湯に触れたのは、先に地獄で流された時だけなんですよ」

「ひゃひゃっ、そりゃあ湯治とは呼べないねえ」

熱が下がらない。体の具合は江戸に居たときよりも悪い気がする。せめて元に戻るまで、塔之沢に、逗留《とうりゅう》することになりそうであった。新龍が、ではそのことを、お比女に伝えておこうという。お比女も色々話したいことが、あるらしい。

「それは嬉《うれ》しい」

だが。若だんなは首を傾げた。

「どうしてお比女ちゃんのことを、新龍さんが取り次ぐの？」

確か今、父神と共におわすはずだ。お比女は随分と自信を付けたらしい。地震は減ったのだ。ただもう起こさないと分かるまで、暫《しばら》くそうして、大人しくしていると言っていた。

「そりゃあさぁ、天狗の使いじゃ、気楽に宿に入る訳にもいかないからな」

あっさりと新龍が言う。若だんなの頭の中で、何かがくるくると回る。じきに、一つ所に落ち着いて話が繋《つな》がった。

「新龍さん、人ならぬ者が見えるからと、雲助の他に仕事をしてたよね」

どうもお比女のことに詳しすぎる。粟《あわ》を食べたときも、余程良い育ちだと言っていた。そんなことを知っている筈もなかったのに。

「それに土地だよ！　あの雲助の小屋が建っている土地！　随分と広いと思ったら、あれはもしかして、山神様から譲っていただいたものじゃないの？」

新龍への支払いとして。やった仕事は、人里に顔を出している間の、お比女の守りだ。

大きく笑い出した。

「若だんなは、勘が良いねえ」

それで新龍は、何かと言い訳を見つけては、お比女の側にくっついていたのだ。新龍が一行から離れたのは、守りの蒼天坊がお比女の側に来てからであった。

「お比女ちゃんはその事を知らなかったの？」

「今は心得ているな。あの時は悩み事があるようだから、父神の名を出さず、話を聞いてやってくれといわれてな」

新龍に頼んだのは、山神であったわけだ。

「もっとも、間に神官さんが入っているが」

「ああ、そうか。そう言えば箱根神社の神官さんのことを、蒼天坊殿もご存じのようでしたっけ」

どうやらあの神官は、神と外を繋ぐ役割をしているらしい。常ならぬものが見える己に、割の良い仕事をくれると、新龍は笑っている。

（山神様は結構、子煩悩《こぼんのう》みたいだ）

思いの一つが、ここにもあったわけだ。

「いやぁ、黙っていて悪かった」

新龍のおおらかな笑いを見ていると、怒る気にもなれない。そしてこの男もこの度はまた、昔と向き合うはめになったが……もうそれがもたらした影は見えない。少なくとも表には。一連の騒動は終わったのだと、若だんなは感じた。

（どうか己で立てますように）

(気持ちを分かって欲しい)

(誰も……傷つけたいなんて、思っちゃあいなかった)

(もっと強くなれたら……)

皆のもつ様々な思いは溢れ、箱根の湯に溶けて流れていったのか。若だんなはゆっくり床から身を起こすと、少し笑みを浮かべる。

「とにかく今回は頑張れた気がするし。来て良かったよ」

その言葉を聞いた佐助が、布団の横で少々意地悪な笑い方をした。兄やは若だんなが『頑張る』のが、好きではないのだ。

「若だんな、かんじん要《かなめ》の湯治を、まだなすってませんよ。皮衣様も、これでは療養にならぬと心配なすっているご様子で」

「絶対に温泉には入るよ。それまでは江戸に帰らないから」

若だんなが慌《あわ》てた。新龍がにやりとする。

「おや若だんな、いっそわっちみたいに、この地に住み着くかい？　長くいるなら、山神様ともお会いできるかもしれんよ」

「新龍さん、その言葉は洒落《しゃれ》になりませんよ。とにかく若だんな、早く良くなって下さい。でなくては、江戸まで帰ることもできません」

仁吉が溜息をついている。そこに、湯の具合を見に行っていた松之助が帰ってきた。宿の湯は良い湯加減で、いつでも入れるという。

若だんなは破顔一笑し、そっと鳴家達とお獅子《しし》の印籠《いんろう》を袂《たもと》に入れる。お獅子が巻き毛の尾を、ゆったりと嬉しそうに、左右に揺らしている。宿の庭に、早川の方から柔らかな風が吹いてきていた。

挿画　柴田ゆう

解説

西條奈加

『うそうそ』――このタイトルだけで心がはずむ。

不安で落ち着かないさまをあらわす古いことばのようだが、そんな理屈は抜きにして、ついつい手がのびてしまう。

本シリーズのファンなら、そんな悠長なことは言っていられない。「おおっ！ やっと出たか」と走り寄り、若だんなが旅に出るとわかれば、「あの病弱な若だんなが、旅に出られるほど成長したか」と感慨もひとしおである。佐助と仁吉の過保護ぶりも、旅となれば三倍増しではなかろうか、鳴家《やなり》はお菓子をもらえているかしら、屏風《びょうぶ》のぞきは、鈴彦姫は――。ほとんど同窓会に向かうような心持ちで本をひらく。ちなみに私のいちばんは、鳴家である。本作中でもなかなかの活躍ぶりだが、柴田ゆうさんのかわいらしい絵と相まって、その滑稽味《こっけいみ》あふれる騒々しさは毎回ほほえましい。

『しゃばけ』『ぬしさまへ』『ねこのばば』『おまけのこ』に続き、『うそうそ』はシリーズの五作目にあたる。タイトルを並べてみるだけで、どこかとぼけて愛嬌のある雰囲気と、センスのよさを感じさせる。さらに親しみやすいキャラクターと謎解《なぞと》きを交えたストーリー、昨今流行《はや》りの（というより本作がブームの牽引役《けんいんやく》と言っても過言ではないが）妖怪ものと、人気の理由はいくつもあげられるが、それだけではシリーズ累計二百七十万部という驚異的な数字の説明はつかない。

時代が求めるものと、時代を超えて文芸に普遍に求められるもの。

これほど読者に愛されるのは、このふたつがあってこそではないだろうか。

『しゃばけ』は時代小説の裾野を広げた。まずその功績はなにより大きい。

時代小説というものは、それだけで一ジャンルを築いており、コアなファンは多い。だが、それがかえって、その他の多数の読者をはじく壁ともなっている。

私は時代小説になじんだ時期が遅く、読みはじめた頃はかなりしんどい思いをした。当時の風俗・習慣、その知識がなければ、どうも飲み込みがわるい。時刻は六つだの卯《う》の刻だの、距離は何里、長さは何尺、通貨単位となると……。これだけで、もううんざりである。さらに衣食住の違いから、使う道具の名前まで、まったく白紙の状態では、筋を追うことはできても、あちこちでつっかかりを感じてしまうのだ。

私の祖父母くらいなら、たとえば尺も使っていたし、昔の暮らしがまだ残っていた時代を知っている。親の世代でも、テレビや映画で時代劇は量産されていた頃だから、ずっと無理なく入り込めたろう。ほんの十年ほど前まで、時代小説とはそういう読者を対象に書かれていたものが多かったように思う。

一方で、漫画やアニメ、ライトノベルでは、その頃からすでに、いわゆる和物は大はやりだった。つまり時代小説の読者たり得る予備軍は、いくらでもいるということだ。

これらの媒体でもっとも多く使われるのが、現代をそのまま持ち込む、あるいは現代や未来、異世界の話に和のテイストを加味する、という方法だ。もちろん中には、緻密《ちみつ》な時代考証を行い、史実を精査したと思われる、本格的な時代ものや歴史ものも数多く存在するが、昨今、急速に増えているのは前者だろう。

背景に江戸の町並みが広がり、着物袴《はかま》を身につけ、剣をふり回していたとしても、登場人物はいまの日常会話を交わし、現代の常識や感覚、主に読者や視聴者たる若い世代のそれに従って行動する。「イメージがわるい」とか「センスがいい」とか、そんな台詞《せりふ》を吐きながら、現代の正義や道徳をふりかざすことが可能となる。だからこそ違和感もとっつき辛さも感じずに、物語世界に入り込むことができるのだ。

逆に言えば、この手法を取れないことが、時代小説の縛りということになる。江戸の言葉というと、カタカナ語、つまりあからさまな外国語を外せばいいと思われがちだが、そうではない。最初に時代小説を書いたとき、私もその考えでいて、実際これだけでもひと苦労だった。先ほどの例でいけば、イメージを印象に、センスは感覚にと、ふだん何気なく使っている外来語をいちいち訳してみたのだが、しかし実際に書いてみると、なんか違う。どうも江戸情緒とやらにかけた会話になる。後日、明治以降に造られた言葉を除けばいいと気づいたが、さて、どれが該当するものか、さっぱりわからない。

会社員、銀行、新聞、このあたりはいい。江戸時代には存在しないものだと、わかるからだ。先にあげた印象、感覚、さらに反応、反対、否定、理由。このあたりまでくると、お手上げとなる。答えを明かせば、実はすべて却下である。幕末から明治にかけて、オランダ語や英語の訳語として造られた造語で、現代と同じ意味で広く一般に使われ出したのは明治以降のことだ。

だが、この手のものは膨大にあり、すべてはじくことなど不可能に近い。なにより、もし忠実に江戸ことばを再現すれば、歌舞伎《かぶき》や浄瑠璃《じょうるり》をご覧になった方なら実感できるだろうが、いまの私たちには意味をつかむことさえ難しい。だからここから先は、作家がうまく按配《あんばい》することになる。先ほどあげた明治以降の言葉は、会話をのぞく地の文に用い、会話にはできるだけ入れないよう配慮する。この言葉でないと、どうしても滑りがわるい、あるいは読み手のわかりやすさを優先させるなら、確信犯的に会話に混ぜることも多々ある。

同じ按配は、登場人物の行動や、その動機づけの際にも行われる。昔といまの感覚の違いを、どう折半させるかということだ。武士が主君（＝会社）のために身を粉にしてはたらく、というだけなら、ひと昔前のサラリーマンにも通じるし理解もできるが、会社のために人殺しも厭《いと》わないとなればどうだろうか。この理不尽をどうやって読者に咀嚼《そしゃく》させるのか、作家の手腕が問われるところとなる。

『うそうそ』にも、ふたりの武士が登場する。やはり藩のため、主君のために悪事に手を染める彼らを、畠中さんはあえて、主人公である一太郎の視点を通して描いている。

この時代ならあたりまえとも言える武士の行動を、一太郎はどこかおかしいと感じている。それが読者の見方と一致するから、わかりやすいのである。病弱であるが故《ゆえ》に世相に疎《うと》く、妖《あやかし》とも馴染《なじ》んでいる一太郎は、この時代の常識から外れ、いまの私たちに近い感覚を持つ。一太郎という眼鏡を通して見ることで、読者は時代とのかい離を感じずに済むことになる。

読み手と物語の距離を縮める心配りは、これだけにとどまらず、そこには、あらゆる読者層を意識した作者の目がある。時代小説というものを、広い世代に楽しんでもらいたいという願いが感じられる。

初心者でも、気軽に読める時代小説。それが現代《いま》という時代に求められていたものであり、『しゃばけ』はそのニーズに応《こた》えたのである。

当時の生活習慣についても、無理なくわかりやすく、読み手がエンストを起こさぬよう、作者は絶えず心を砕いている。たとえば本作中に、「塔之沢《とうのさわ》までの駕籠《かご》代、五百文」とある。これだけでは五百文の価値はわかり辛いが、その先の会話の中に、「食事付きの宿に一泊して、二百文」とさりげなく入れることで、タクシー代としては高すぎると納得できる。

この手の工夫は随所に見られるが、もうひとつ、あらゆるものを身近に感じさせるという、畠中さんならではの手法がある。ひとつ例をあげるなら、「若だんな」。「若旦那」とせず「若だんな」とするだけで、ぐっと親しみやすくなる。江戸という遠い過去も、見えない妖さえも、すぐ隣まで連れてきてくれるのだ。おかげで私たちは、なんの違和感もなく、安心して物語を楽しむことができる。

もうひとつ、忘れてはならないことが、人物や物事の掘り下げ方である。本を読む醍醐味《だいごみ》の大事な要素であり、特にシリーズものとなると、この力なしにはすぐに息切れする。人の心情、事の裏側をつまびらかにひもとけば良いかというと、そうではない。それをいかにして読者に納得させるか、そこがもっとも難しいツボとなる。裏に隠れているものは、概して汚い。嫉妬《しっと》、羨望《せんぼう》、自己への嫌悪《けんお》。暗く悲しい毒を含む。だがそれなしでは、ぺらぺらの紙切れにしかならず、垣間見《かいまみ》える影こそが読み手を引きつけ共感を生む。ふだんは人目にさらせない負の感情を共有することで人は安心し、自分ばかりではないのかと他者への思いやりも生ずる。

本作はそれが殊《こと》に顕著で、物語の軸ともなっている。

自分は無力だと落ち込む一太郎、親に顧みられなかった悲しい過去をもつ兄、松之助。前述したふたりの武士も、数奇な運命の末にいまに至る新龍《しんたつ》も、重く湿ったものを背負いながら生きており、妖たる烏天狗《からすてんぐ》や地震を起こすほどの力をもつ山神さえも例外ではない。彼らの痛みは、私たちにも共通する。これを独楽《こま》の足とするなら、妖たちが繰り広げる絵巻は、独楽の面に描かれた色あざやかな模様のようなものだ。どんなに華やかな独楽も、軸がぶれていては回らない。

「恨みや思い詰めた心というものは、どこで湧《わ》き出して、どこから降ってくるか分からない」
「人の気持ちは、時々で違ってきて揺れる」
「人とは怖いものだ」

状況に応じて様変わりする人心に翻弄され、これを怖《おそ》れ、悩んだり悲しんだりしながらも必死にあがき、越えようとする。このプロセスの描写を、畠中さんは絶妙な加減でやってのける。物語を覆うのほほんとした雰囲気をこわすことなく、かといって甘すぎず、時にはどうにもならないこともある。すっきりと四方八方が丸く納まる、そんな手妻はないと言いながら、無力だと嘆く若だんなが、精いっぱい差し伸べる手はあたたかい。

そこには人も神も妖もなく、時代をも越える普遍のものがある。

時代のニーズと、時代に左右されないもの。このふたつを兼ね備えているからこそ、『しゃばけ』は人々を惹《ひ》きつけてやまないのである。

（二〇〇八年十月、作家）

この作品は平成十八年五月新潮社より刊行された。

杉浦日向子著

江戸アルキ帖

日曜の昼下がり、のんびり江戸の町を歩いてみませんか――カラー・イラスト一二七点とエッセイで案内する決定版江戸ガイドブック。

杉浦日向子著

風流江戸雀

どこか懐かしい江戸庶民の情緒と人情を、「柳多留」などの古川柳を題材にして、現代の浮世絵師・杉浦日向子が愛情を込めて描く。

杉浦日向子著

百物語

江戸の時代に生きた魑魅魍魎たちと人間の、滑稽でいとおしい姿。懐かしき恐怖を怪異譚集の形をかりて漫画で描いたあやかしの物語。

杉浦日向子著

大江戸美味《む ま》草紙《そう》

初鰹のイキな食し方、「どじょう」と「どぜう」のちがいなどなど、お江戸のいろはと江戸っ子の食生活がよくわかる読んでオイシイ本。

杉浦日向子著

一日江戸人

遊び友だちに持つなら江戸人がサイコー。試しに「一日江戸人」になってみようというヒナコ流江戸指南。著者自筆イラストも満載。

杉浦日向子監修

お江戸でござる

お茶の間に江戸を運んだNHKの人気番組・名物コーナーの文庫化。幽霊と生き、娯楽を愛す、かかあ天下の世界都市・お江戸が満載。

うそうそ

新潮文庫　は－37－5

平成二十年十二月一日発行
平成二十年十二月五日二刷

著者　畠《はたけ》中《なか》恵《めぐみ》

発行者　佐藤隆信

発行所　株式会社　新潮社

郵便番号　一六二―八七一一
東京都新宿区矢来町七一
電話　編集部(〇三)三二六六―五四四〇
　　　読者係(〇三)三二六六―五一一一
http://www.shinchosha.co.jp

価格はカバーに表示してあります。

乱丁・落丁本は、ご面倒ですが小社読者係宛ご送付ください。送料小社負担にてお取替えいたします。

印刷・大日本印刷株式会社　製本・憲専堂製本株式会社

ISBN978-4-10-146125-0 C0193